MARIA ELENA SIMIELLI

Bacharela e licenciada em Geografia pela Universidade de São Paulo (USP).
Professora doutora em Geografia e professora livre-docente do
Departamento de Geografia – Pós-graduação, USP.
Ex-professora dos Ensinos Fundamental e Médio nas redes pública e
particular do estado de São Paulo.

GEOGRAFIA

2º ANO
Ensino Fundamental

editora ática

Presidência: Mario Ghio Júnior
Direção editorial: Lidiane Vivaldini Olo
Gerência editorial: Viviane Carpegiani
Gestão de área: Tatiany Renó
Edição: Luciana Nicoletti (coord.), Maria Luísa Nacca e Mariana Amélia Nascimento (assist.)
Planejamento e controle de produção: Flávio Matuguma, Juliana Batista, Felipe Nogueira e Juliana Gonçalves
Revisão: Kátia Scaff Marques (coord.), Brenda T. M. Morais, Claudia Virgilio, Daniela Lima, Malvina Tomáz e Ricardo Miyake
Arte: André Gomes Vitale (ger.), Catherine Saori Ishihara (coord.), Nicola Loi (edição de arte)
Iconografia e tratamento de imagem: Sílvio Kligin (ger.), Denise Durand Kremer (coord.), Iron Mantovanello (pesquisa iconográfica), Fernanda Crevin (tratamento de imagens)
Licenciamento de conteúdos de terceiros: Roberta Bento (gerente), Jenis Oh (coord.), Liliane Rodrigues, Flávia Zambon e Raísa Maris Reina (analistas de licenciamento)
Ilustrações: Alessandra Tozzi, Bentinho, Claudia Marianno, Dam d'Souza, Félix Reiners, Giz de Cera, Ilustra Cartoon, Léo Fanelli
Design: Talita Guedes da Silva (proj. gráfico e capa)
Ilustração de capa: Barlavento Estúdio
Logotipo: Saulo Dorico

Todos os direitos reservados por Somos Sistemas de Ensino S.A.
Avenida Paulista, 901, 6º andar – Bela Vista
São Paulo – SP – CEP 01310-200
http://www.somoseducacao.com.br

Dados Internacionais de Catalogação na Publicação (CIP)

```
Simielli, Maria Elena
    Projeto Ápis : Geografia : 1º ao 5º ano/ Maria Elena
Simielli. -- 4. ed. -- São Paulo : Ática, 2020.
    (Projeto Ápis ; vol. 1 ao 5)

Bibliografia

1. Geografia (Ensino fundamental) Anos iniciais I.
Título II. Série

20-1073                                    CDD 372.891
```

Angélica Ilacqua - Bibliotecária - CRB-8/7057

2022
Código da obra CL 750405
CAE 721268 (AL) / 721267 (PR)
ISBN 9788508195503 (AL)
ISBN 9788508195510 (PR)
4ª edição
4ª impressão
De acordo com a BNCC.

Impressão e acabamento: Bercrom Gráfica e Editora

Apresentação

Caro aluno,

Esta coleção foi feita pensando em você, uma criança que está começando a grande aventura de explorar o mundo por meio dos estudos.

Como professora, procuro sempre estimular cada aluno a reconhecer como a Geografia está presente no dia a dia, de uma maneira tão natural que às vezes nem pensamos nela.

Por isso, neste livro, você vai trabalhar de uma forma prática. Orientado por seu professor, é você quem vai construir a Geografia, tanto na sala de aula quanto nas outras atividades do seu dia a dia.

Espero que este livro ajude você, aluno, a compreender melhor o mundo em que vivemos e a participar dele ativamente para construir uma sociedade cada vez melhor.

Que tal embarcar nessa viagem?

A autora

Conheça seu livro

Este livro contém quatro unidades. Cada unidade tem dois capítulos.

Abertura de unidade
No início de cada unidade há uma ilustração e algumas questões para despertar o seu interesse pelo tema que será estudado.

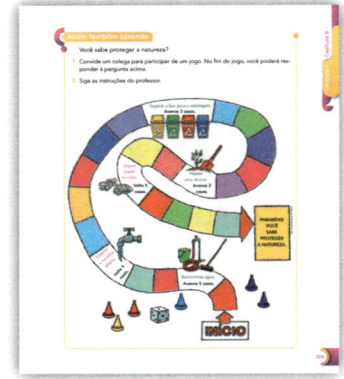

Assim também aprendo
Histórias em quadrinhos, tirinhas e brincadeiras vão ajudar no seu aprendizado.

Abertura de capítulo
Imagens, textos e atividades orais estimulam você a conversar com os colegas sobre os assuntos que serão estudados.

Para facilitar a compreensão dos textos, o significado de algumas palavras será apresentado na própria página: no **vocabulário**.

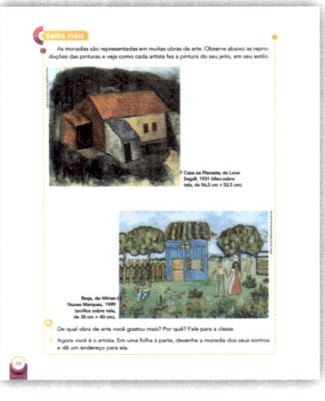

Saiba mais
Textos, imagens e atividades para ampliar seus conhecimentos e aguçar sua curiosidade.

Com a palavra...
Entrevistas com diferentes profissionais farão você perceber que o conhecimento pode ser adquirido além dos livros.

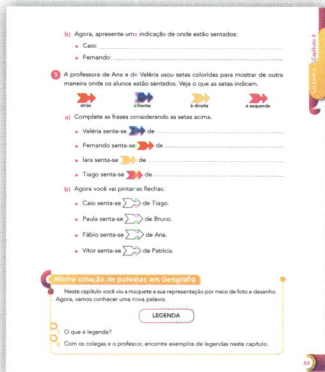

Minha coleção de palavras em Geografia
Ao longo dos capítulos e ao final de cada unidade, você vai encontrar atividades que exploram o sentido de algumas palavras importantes para a disciplina.

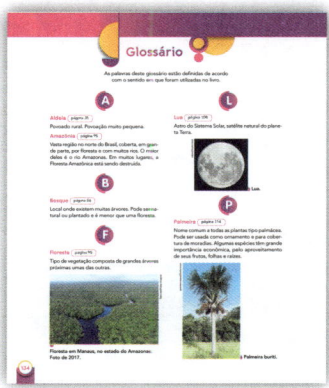

Glossário
No final do livro você encontra o significado de palavras destacadas no texto, importantes para o estudo de Geografia.

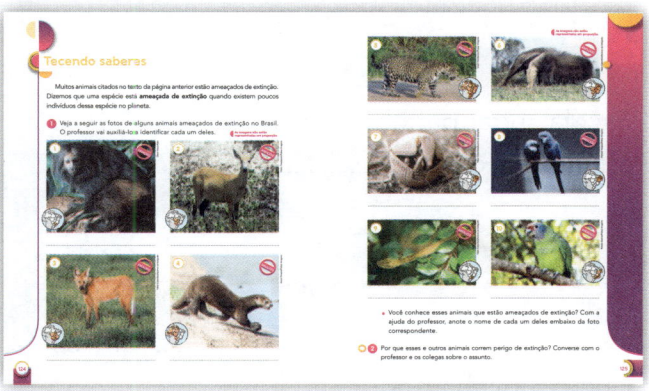

Tecendo saberes
Aqui você vai entrelaçar os conhecimentos da Geografia com os saberes de outras disciplinas.

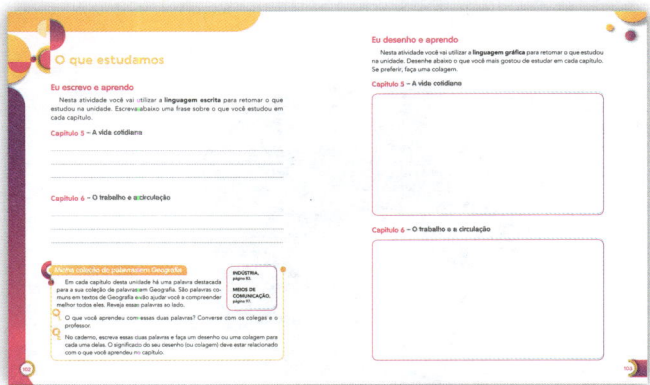

O que estudamos
É o encerramento da unidade de estudo. Aqui você vai trabalhar a escrita e o desenho, retomar o que foi estudado, além de refletir sobre o que aprendeu.

Material complementar
Acompanha o livro do aluno:

Ápis divertido
Jogos que exploram os temas estudados.

Caderno de atividades
Atividades para você praticar o que aprendeu em cada unidade.

Ícones

 Atividade oral

 Atividade em grupo

 Atividade em dupla

 Atividade no caderno

Pesquise

Sumário

UNIDADE 1 — A vida em comunidade 8

Capítulo 1
Viva a diferença! 10
Para iniciar 10
Semelhantes, mas diferentes 11
Representações 16
Tecendo saberes 22

Capítulo 2
Morar e conviver 24
Para iniciar 24
Na minha moradia 25
Lugares para morar 31
O que estudamos 38

UNIDADE 2 — Localizar e representar espaços 42

Capítulo 3
Estudar e conviver 44
Para iniciar 44
Escola: lugar para conviver 45
Minha sala de aula 49

Capítulo 4
As ruas e os caminhos 56
Para iniciar 56
Como é minha rua 57
Trajetos no meu dia a dia 64
Tecendo saberes 68
O que estudamos 70

UNIDADE 3
Viver e trabalhar 74

Capítulo 5
A vida cotidiana 76
Para iniciar 76
Os arredores da escola 77
A vida e o trabalho no bairro 82
Tecendo saberes 88

Capítulo 6
O trabalho e a circulação 90
Para iniciar 90
Circular pelos caminhos 91
Produzindo mercadorias 97
O que estudamos 102

UNIDADE 4
O ambiente em que vivemos 106

Capítulo 7
Conhecer lugares 108
Para iniciar 108
Identificando lugares 109
Outros lugares 113

Capítulo 8
Proteger nosso ambiente 118
Para iniciar 118
Precisamos cuidar do ambiente 119
Tecendo saberes 124
Depende de nós 126
O que estudamos 130

Glossário 134
Bibliografia 136

Unidade 1

A vida em comunidade

Capítulo 1

Viva a diferença!

Para você, o que é importante em uma pessoa? Por quê?

Para iniciar

As diferenças existem e é importante saber respeitá-las. Acompanhe a leitura do professor.

Laura

Laura vive apressadinha. Por que tanta pressa, oh Laura? Pois ela não tem nada o que fazer. Esta pressa é uma das bobagens de laura. Mas ela é modesta: basta-lhe **cacarejar** um bate-papo sem-fim com as outras galinhas. As outras são muito parecidas com ela: também meio ruiva e meio marrom. Só uma galinha é diferente delas: uma carijó toda de enfeites preto e branco. Mas elas não desprezam a carijó por ser de outra raça. [...]

Clarice Lispector. **A vida íntima de Laura**. Rio de Janeiro: Rocco, 2012. p. 14.

- **cacarejar:** cantar da galinha. No texto, também quer dizer "tagarelar".

1 Como é Laura?

2 De acordo com o texto, o que diferencia a galinha carijó das outras galinhas?

Semelhantes, mas diferentes

Não existe nenhuma pessoa igual a outra. Às vezes, pode haver uma pessoa parecida, mas igualzinha não.

Cada pessoa tem uma história, um jeito de ser e de viver.

Sugestão de... Livro
Quem é você?, de Pernilla Stalfelt. São Paulo: Companhia das Letrinhas, 2016.

1. Para perceber como as pessoas são diferentes, que tal conhecer melhor alguém que está pertinho de você: um colega de classe?

    a) Fique perto de seu colega e olhe bem para ele. Repare no formato do rosto, no cabelo, nos olhos, no nariz e na boca.

    b) Desenhe seu colega em uma folha de papel sulfite. Pinte o desenho, mostrando a cor da pele, do cabelo e dos olhos do colega.

    c) Abaixo do desenho, anote o nome de seu colega e o que você mais gosta nele. Cole o trabalho no caderno ou entregue-o ao professor.

2. É muito comum ajudar os colegas. Veja o exemplo de Pedro e Marcos: Marcos acabou de chegar de outra cidade e Pedro está tentando ajudá-lo a se sentir bem na nova escola.

"Marcos é meu colega de classe. Ele me ajuda a fazer as tarefas de Matemática. Eu o ensino a jogar bola e também empresto minhas revistas em quadrinhos para ele."

Responda:

a) O que Pedro faz para ajudar Marcos?

b) O que Marcos faz para ajudar Pedro?

3. Agora responda sobre um amigo seu:

a) O que você faz para ajudar esse amigo? Qual é o nome dele?

b) O que ele faz por você?

Crianças de diferentes lugares

Você vai conhecer crianças de diferentes lugares do Brasil e do mundo.

1 Observe as fotos. Que diferenças podem existir entre você e as crianças retratadas?

Meu nome é Gabriela.
Nasci no estado do Rio Grande do Sul.

Meu nome é Daniel.
Nasci no estado de Pernambuco.

Meu nome é Paulo.
Nasci no estado do Amazonas.

Meu nome é Pedro.
Nasci em Moçambique.

Meu nome é Alejandro.
Nasci no México.

Meu nome é James.
Nasci no Reino Unido.

a) O que as crianças estão dizendo nos balões de fala?

_____

b) Quais são as semelhanças e as diferenças entre essas crianças?

_____

_____

2 Você viu como se diz **bom dia** em algumas línguas. Agora verá de onde vieram algumas pessoas da sua comunidade.

> **Sugestão de... Livro**
> **Nas ruas do Brás**, de Drauzio Varella. São Paulo: Companhia das Letrinhas, 2000.

a) Pergunte a um adulto que mora com você: Onde nós moramos há pessoas que vieram de outros lugares do Brasil ou de outros países? Se sim, anote abaixo o nome dos lugares ou países.

_____

_____

- Cada um fala suas respostas e o professor anota no quadro da lousa. Depois, copie as respostas no quadro abaixo.

Brasil	Outros países

b) Vamos investigar a origem dos alunos da classe. Quem nasceu em outro lugar e se mudou para onde vive agora? O professor vai montar o quadro abaixo na lousa e completar os dados com você e os colegas.

Quantas crianças nasceram no estado onde se localiza a escola?	Quantas nasceram em outros estados/ nome do estado?	Quantas nasceram em outros países/ nome do país?

Diferentes costumes e tradições

As pessoas que vieram de outros lugares geralmente trazem costumes e tradições de seus lugares de origem. Muitas vezes, percebemos essa influência onde moramos.

Vamos ver exemplos de como alguns costumes e tradições se espalharam pelo Brasil todo.

Comer tapioca e tomar chimarrão são costumes das pessoas de alguns estados do Brasil.

Esses costumes estão se tornando populares em lugares diferentes daqueles onde eles são tradicionais.

Barraca de tapioca, produto típico da Bahia, em Matinhos, estado do Paraná, em 2019.

1. As pessoas que vivem com você comem tapioca ou bebem chimarrão? Pergunte a elas se sabem de onde vêm esses costumes.

2. Converse com os colegas e o professor sobre costumes trazidos por pessoas que vieram de outras partes do mundo.

Monumento das cuias, em Ponta Porã, no estado de Mato Grosso do Sul, em 2017. As cuias são usadas para tomar chimarrão, bebida típica do Rio Grande do Sul.

3. Vamos fazer uma pesquisa? Pergunte a uma pessoa adulta que mora com você se onde você vive há algum costume ou tradição que veio de outro lugar do Brasil. Ou, ainda, de outro país. Escreva no caderno.

Minha coleção de palavras em Geografia

Vamos conhecer melhor uma palavra que apareceu nesta página?

TRADIÇÃO

Para você, o que é tradição? Use exemplos desta página.

Representações

Podemos desenhar um objeto maior ou menor do que ele é na realidade. Mas será que, ao fazermos isso, o objeto fica diferente?

1 Observe as fotografias abaixo e responda:

Moedas de R$ 1,00.

- Qual destas moedas está no tamanho real?

_____

2 Preste atenção. O traçado dos três desenhos abaixo é igual, mas eles têm diferenças no tamanho e na posição que ocupam nesta página.

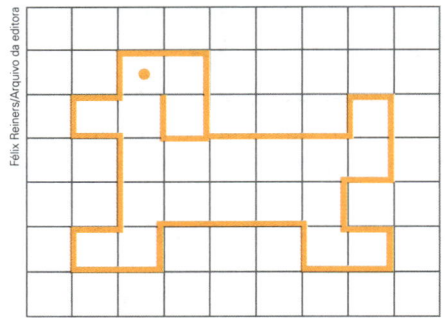 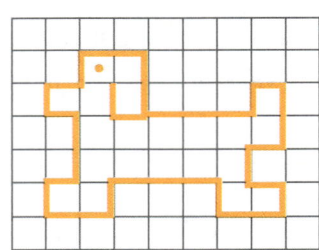 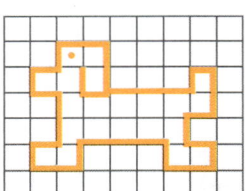

As posições dos desenhos podem ser:

(À esquerda) (No meio) (À direita)

- Observe os desenhos e pinte a resposta correta.

a) O **maior** é o (da esquerda.) (do meio.) (da direita.)

b) O **menor** é o (da esquerda.) (do meio.) (da direita.)

3 A carteira escolar e a cadeira abaixo estão desenhadas de duas maneiras diferentes. Observe atentamente os desenhos.

As imagens não estão representadas em proporção.

A criança da foto ao lado representou sua carteira escolar de uma maneira ainda mais diferente.

- Primeiro, ela mediu a carteira com palmos.
- Depois, desenhou a carteira em um papel quadriculado. Veja como ficou.

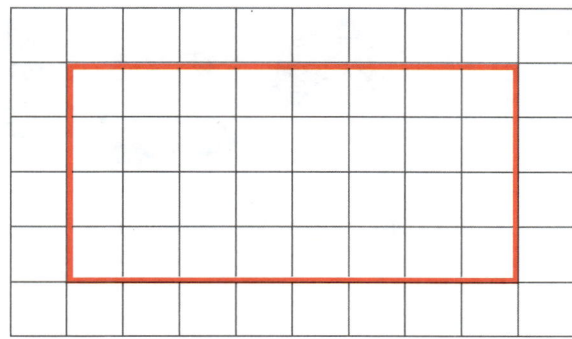
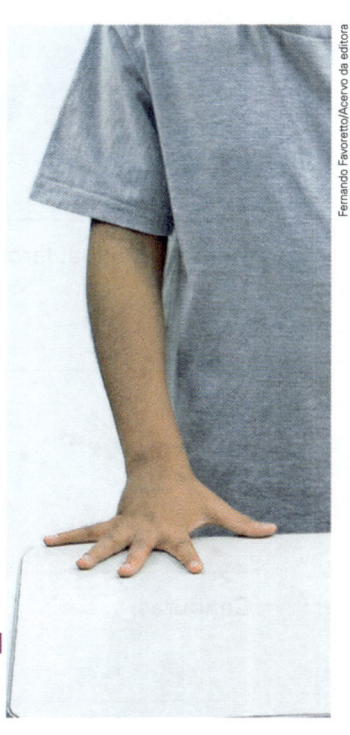

Criança medindo a carteira com palmos.

a) Agora, você vai fazer o desenho de sua carteira. Meça a carteira com palmos. Depois, faça sua representação em dois tamanhos diferentes.

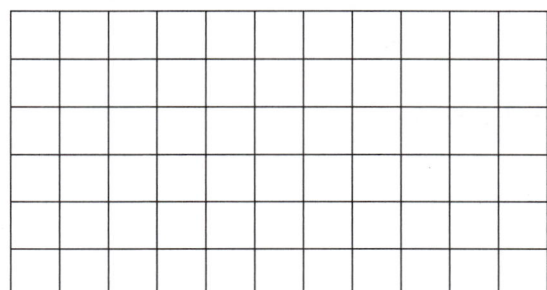
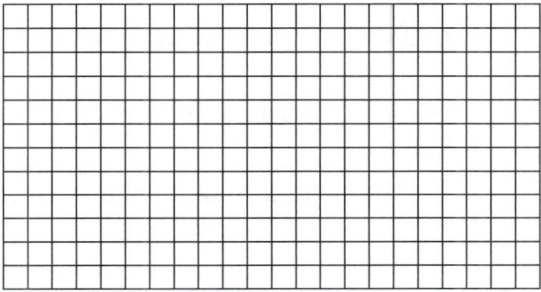

b) Troque ideias com os colegas e compare os resultados.

4 Compare os desenhos e responda:

a) Quais são os dois maiores objetos na realidade?

b) Qual é o menor objeto na realidade?

As imagens não estão representadas em proporção.

5 Observe nas fotos como diferentes vegetais podem ser agrupados.

Mamão, goiaba, laranja.

Agrião, alface.

Cenouras.

Brócolis, couve-flor, alcachofra.

a) Anote abaixo das fotos o nome de cada grupo de vegetais, de acordo com o quadro.

> Flores   Folhas   Frutos   Raízes

b) No primeiro grupo, qual vegetal está no meio? _____

c) No grupo 2, qual vegetal está ao lado do agrião? _____

d) No grupo 3, qual é a posição do menor vegetal? _____

e) No último grupo, qual está mais embaixo? _____

f) Na sua alimentação, qual o seu grupo preferido? _____

Aprendendo a representar

Nas fotos a seguir, crianças estão desenhando o contorno do corpo de dois colegas em uma folha de papel grande.

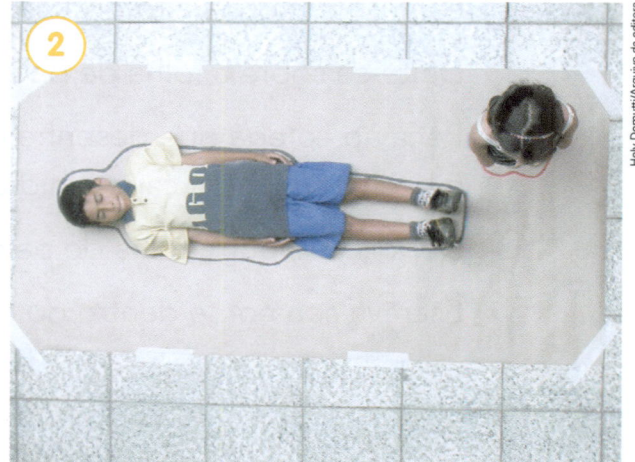

Crianças desenhando o contorno do corpo dos colegas.

Os desenhos finalizados.

1. Observe nas imagens acima que uma criança está deitada e a outra está em pé.
   a) Será que os contornos das crianças são iguais?
   b) Veja abaixo como ficou o desenho dos contornos das crianças traçados olhando do alto, de cima para baixo.

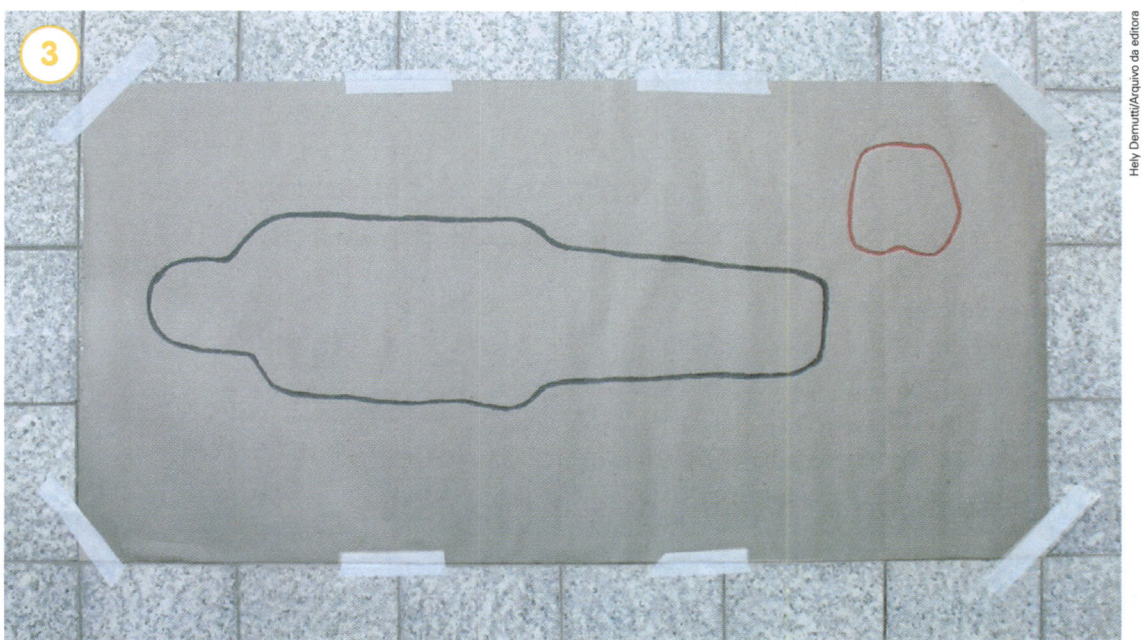

Os contornos do corpo das crianças.

- E agora, o que é possível afirmar sobre o contorno do corpo das crianças: as formas são iguais ou diferentes?

2 Agora, você e um colega vão fazer o mesmo. Sigam as instruções.

a) Contorno do corpo:

- No chão, coloque uma folha de papel pardo e prenda-a com fita adesiva, conforme mostra a fotografia a seguir.
- Deite-se sobre a folha de papel.
- Peça ao colega que desenhe o contorno de seu corpo com giz de cera, pincel atômico ou caneta hidrográfica.
- Depois, em outra folha de papel, faça a mesma coisa com seu colega.
- Escreva seu nome dentro do desenho.

Contorno do corpo.

b) Contorno dos pés:

- Utilize a folha de papel pardo em que foi desenhado o contorno de seu corpo.
- Peça ao colega que contorne seus pés.
- Depois faça a mesma coisa com seu colega.

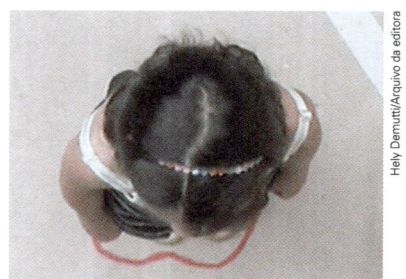

Contorno dos pés.

c) Compare o contorno do corpo com o contorno dos pés e responda:

- Quais são as diferenças entre as duas representações?

3 Agora, vamos comparar a altura dos alunos da classe e ver as diferenças.

a) Pegue o contorno de seu corpo que foi feito na atividade 2a da página 20.

- Observe atentamente o traçado do contorno.
- Recorte esse contorno e note que ele ficou parecendo um boneco.

b) Estique o boneco no chão.

Criança medindo o boneco com palmos.

- Meça quantos palmos ele tem da cabeça aos pés. Observe a foto ao lado.
- Escreva, no boneco, quantos palmos você contou.

c) Com a ajuda do professor, forme um grupo com mais quatro colegas. Inventem um nome para seu grupo.

- Fixem os bonecos do grupo na parede da sala de aula ou no pátio da escola. Veja a imagem abaixo.

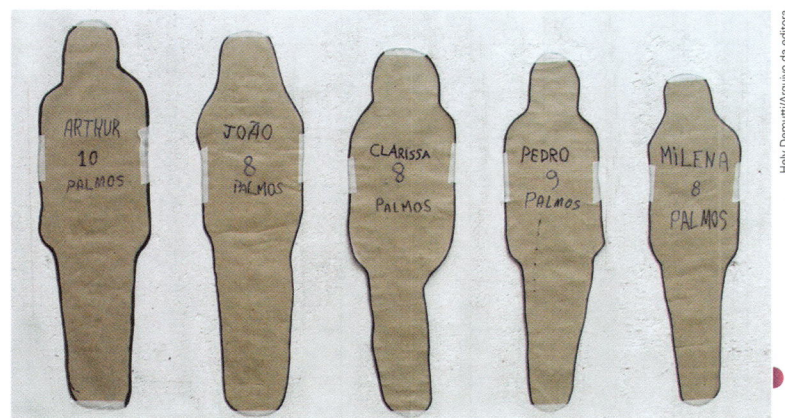

Bonecos dos contornos de alunos.

d) Observe a altura dos bonecos de seu grupo e responda:

- Quantos colegas são mais baixos do que você?

_____

- Quantos são mais altos?

_____

- Quantos têm mais ou menos a mesma altura que você?

_____

Tecendo saberes

Agora, você vai trabalhar com outra forma de representação: o gráfico.

O tamanho real das pessoas, dos animais e dos objetos, por exemplo, pode ser representado em um gráfico. Veja como isso é possível.

1) Arthur fez um gráfico para representar a altura dele. Ele mediu sua altura em 10 palmos.

Para representar essa medida, Arthur usou uma coluna dividida em quadrinhos. Ele pintou um quadrinho para cada palmo, ou seja, pintou 10 quadrinhos no total. Veja abaixo.

a) Agora, forme um grupo com mais quatro colegas para representar a altura de vocês, como fez Arthur. Utilize as medidas em palmos da atividade da página anterior. Anote o nome dos colegas abaixo de cada coluna.

Arthur

b) Compare os bonecos do seu grupo com o gráfico acima. O que você percebe?

A representação que você vai fazer agora é de animais que você vê em livros, na internet, na televisão e até ao vivo. Alguns animais podem ser encontrados no Brasil. Outros animais viveram aqui há milhões de anos, como é o caso dos dinossauros.

2 Veja nas fotografias e ilustrações o comprimento aproximado desses animais.

As imagens não estão representadas em proporção.

Onça-pintada (cerca de 2 metros).

Pirarucu (cerca de 3 metros).

Titanossauro (cerca de 13 metros).

Surucucu (cerca de 4 metros).

Abelissauro (cerca de 8 metros).

Anta (cerca de 2 metros).

a) Preencha os gráficos abaixo para representar o comprimento de cada animal. Considere que cada quadrinho corresponde a 1 metro.

Metros

	Onça-pintada	Pirarucu	Titanossauro	Surucucu	Abelissauro	Anta
13						
12						
11						
10						
9						
8						
7						
6						
5						
4						
3						
2						
1						

b) Quais desses animais você já viu na TV, em livros, na internet ou ao vivo?

c) Conte aos colegas como você acha que é o ambiente onde vive ou viveu cada um desses animais.

Capítulo 2

Morar e conviver

Por que as pessoas precisam de moradias?

Para iniciar

Todas as pessoas deveriam ter um lugar para morar. Acompanhe a leitura que o professor vai fazer do texto a seguir.

Tipos de casas

Algumas casas são maiores, outras menores, algumas são de madeira ou de tijolos, outras de barro ou palha, com algumas varinhas de madeira para segurar as paredes. **Toda casa, pra ser casa, tem parede. Porta pra entrar, chão pra pisar, teto pra cobrir**, e quase sempre tem janela pra olhar e pra deixar o ar passar.

Nem sempre tem água, nem sempre tem luz, nem sempre tem jardim ou calçada na frente, nem quintal atrás. Tem casas que ficam no alto do morro, da ladeira, outras na beira da estrada, na beira do rio [...]

Margarida dos Anjos e Marina Baird Ferreira.
O Aurélio com a Turma da Mônica: o mundo das palavras em cores.
Rio de Janeiro: Nova Fronteira, 2003. p. 38.

1. Segundo o texto, como as casas podem ser?

2. Do que você mais gosta em sua moradia? Por quê?

Na minha moradia

Sugestão de... Livro

Kunumi Guarani, de Wera Jeguaka Mirim. São Paulo: Panda Books, 2014.

Você vai falar agora sobre as pessoas que vivem em sua moradia e o seu parentesco com elas.

1. Quantas pessoas moram com você?

2. Anote o nome e a idade das pessoas que moram com você e o seu parentesco com elas.

_____
_____
_____
_____
_____
_____

3. Desenhe em uma folha avulsa todas as pessoas que moram com você. Escreva o nome de cada uma delas.

Assim também aprendo

Para conviver na mesma moradia é preciso que as pessoas respeitem o espaço comum a todos e dividam as tarefas domésticas. Leia a tirinha a seguir.

Mauricio de Sousa. **Almanaque do Cascão**. São Paulo, 2003.

- Quem você acha que deveria organizar o quarto do Cascão?

Representações no dia a dia

Os móveis e os objetos que existem em nossas moradias podem ser representados de diversas maneiras.

Eles podem ser desenhados ou fotografados de diferentes pontos de vista.

1 Veja as fotos a seguir.

As imagens não estão representadas em proporção.

De frente

Do alto e de lado

Do alto, exatamente de cima para baixo

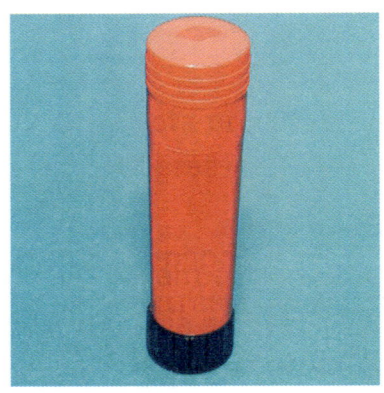

Fotografias de cola bastão de diferentes pontos de vista.

a) O objeto é o mesmo, mas o que mudou? Observe a posição em que o objeto foi fotografado.

b) Escreva o nome de alguns móveis ou objetos comuns nos cômodos de sua moradia.

Cozinha	Sala	Quarto

c) Escolha um dos móveis ou objetos da atividade anterior para desenhar no caderno.

2 Os objetos abaixo foram representados de maneiras diferentes. Veja por quê.

Criança observando o mesmo objeto de duas posições diferentes.

As representações de um mesmo objeto podem ser diferentes, pois dependem da posição da qual o objeto é visto.

- Agora, observe as fotografias abaixo e encontre os mesmos objetos representados de maneiras diferentes. Ligue os objetos da esquerda aos da direita.

As imagens não estão representadas em proporção.

 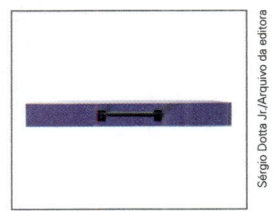

3 Nesta atividade, vamos trabalhar com os diferentes pontos de vista e com figuras geométricas. Vamos também modelar essas figuras!

Observe as fotografias abaixo e tente identificar cada um dos objetos em diferentes pontos de vista.

As imagens não estão representadas em proporção.

a) Com a ajuda do professor, encontre os objetos da página ao lado nos diferentes pontos de vista e escreva sua identificação no local correto, no quadro abaixo. Veja no modelo como você deve preencher o quadro.

▶ As imagens não estão representadas em proporção.

Diferentes pontos de vista / Objeto	Visão de frente	Visão do alto e de lado	Visão do alto, exatamente de cima para baixo
Copo	A	3	b
Banqueta			
Gaveteiro			
Vaso de flor			
Dado			

b) Observe que as visões de alguns objetos apresentados na página ao lado têm formas geométricas diferentes: quadrada, retangular e circular.

- Desenhe as três figuras geométricas planas que têm essas formas.

- Agora, com a ajuda do professor, modele as figuras geométricas espaciais que têm a forma dos objetos.

- Com o professor, descubra o nome das novas figuras geométricas espaciais.

4 Agora, você vai desenhar objetos. Observe as imagens abaixo. Elas retratam objetos fotografados de duas posições diferentes. Veja os passarinhos.

a) A primeira coluna mostra os objetos fotografados de uma posição e a segunda coluna mostra os mesmos objetos, mas de outra posição. Observe.

As imagens não estão representadas em proporção.

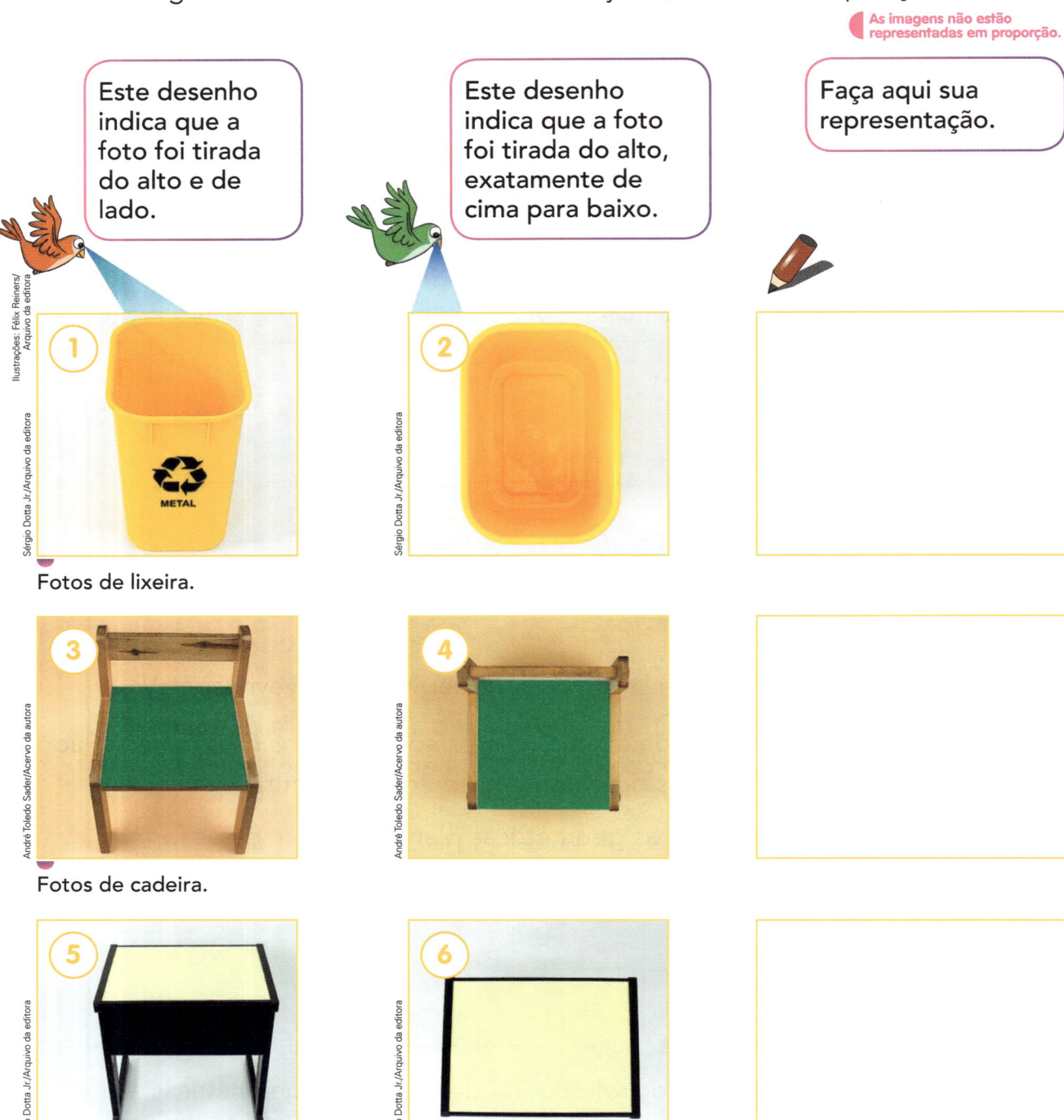

Fotos de lixeira.

Fotos de cadeira.

Fotos de carteira escolar.

b) Na terceira coluna, desenhe somente os objetos fotografados do alto, exatamente de cima para baixo.

Lugares para morar

Há no mundo diferentes maneiras de viver e de morar.

A moradia é importante porque ela serve de abrigo para as pessoas. É também o lugar onde se convive com familiares e amigos.

> **Sugestão de...**
> **Filme**
> **A casa**, direção de Andrés Lieban. Brasil: Delta/Laboratório de Desenhos, 2004. (3 min). Disponível em: <http://portacurtas.org.br/>. Acesso em: 28 jan. 2020.

1 Preencha a ficha abaixo com seu nome e endereço.

Meu endereço

Nome:	
Nome da rua:	
Número da casa ou do prédio:	
Número do apartamento:	
Bairro:	CEP:
Município:	
Estado:	

2 Desenhe a sua moradia na rua onde você vive.

3 Desenhe sua moradia no centro do quadro abaixo, vista por fora e de frente. Desenhe também os arredores dela. Se quiser, pinte o desenho.

4 Agora desenhe dentro do quadro:

a) Uma nuvem do lado direito (→) e acima.

b) Uma árvore do lado esquerdo (←) e abaixo.

c) O Sol na parte de cima (↑) e do lado esquerdo.

d) Uma flor na parte de baixo (↓) e do lado direito.

Minha coleção de palavras em Geografia

Sem o Sol não haveria vida na Terra.

SOL

1. O que é o Sol?

2. Converse com os colegas e o professor sobre a importância do Sol na Terra.

Diferentes moradias

Muitas moradias são construídas com materiais tirados diretamente da natureza e mostram diferentes modos de viver. As moradias variam de um lugar para o outro.

1 Vamos ver os diferentes materiais utilizados nas moradias.

Sugestão de... Livro
Tapajós, de Fernando Vilela. São Paulo: Brinque-Book, 2015.

a) Quais foram os principais materiais utilizados na construção das moradias das ilustrações abaixo?

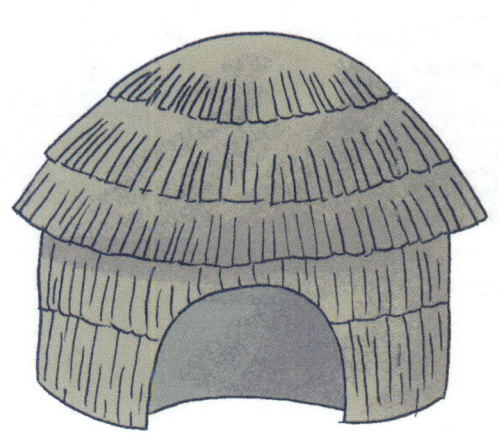

_____   _____

b) Há moradias que são construídas com material transformado pela indústria. Nas imagens abaixo, anote o nome do principal material utilizado.

_____   _____

2 Assim como você tem uma família e uma moradia, existem outras famílias que vivem em moradias diferentes.

a) Observe nas fotos alguns tipos de moradia no Brasil.

São Bernardo do Campo, no estado de São Paulo. Foto de 2018.

Campo Verde, no estado de Mato Grosso. Foto de 2018.

Rio Rufino, no estado de Santa Catarina. Foto de 2017.

São Luís, no estado do Maranhão. Foto de 2019.

• Você identifica diferenças entre essas moradias? E semelhanças?

_____

_____

• Quais desses tipos de moradia existem no lugar onde você mora? Anote os números.

_____

b) Observe as fotos de alguns tipos de moradia em outros países e onde eles se localizam.

Aldeia na região de Agadez, Níger. Foto de 2016.

A definição das palavras destacadas está no **Glossário**, página 134.

Fenghuang, China. Foto de 2019.

Toronto, Canadá. Foto de 2016.

Vilarejo na ilha de Santorini, Grécia. Foto de 2016.

- Você já viu moradias parecidas com essas em livros, revistas, na internet ou na televisão? Qual delas? Anote o número da foto da moradia e o nome do país.

_____

_____

- Procure em jornais, revistas e na internet fotos de outros tipos de moradia no Brasil e em outros países. Organize o material com o professor.

Saiba mais

As moradias são representadas em muitas obras de arte. Observe abaixo as reproduções das pinturas e veja como cada artista fez a pintura do seu jeito, em seu estilo.

Casa na Floresta, de Lasar Segall, 1931 (óleo sobre tela, de 56,5 cm × 52,5 cm).

Roça, de Mirian Nunes Marques, 1999 (acrílica sobre tela, de 30 cm × 40 cm).

1. De qual obra de arte você gostou mais? Por quê? Fale para a classe.

2. Agora você é o artista. Em uma folha à parte, desenhe a moradia dos seus sonhos e dê um endereço para ela.

3 Você viu que os tipos de moradia têm relação com a natureza. Agora vamos ver a influência da natureza nos hábitos e costumes das pessoas.

a) Pinte de **azul** o que as pessoas usam ou fazem com mais frequência em lugares onde faz muito frio.
Pinte de **vermelho** o que as pessoas usam ou fazem com mais frequência em lugares quentes.

b) Relacione os lugares com os costumes mais comuns das pessoas. Observe as ilustrações abaixo e responda às questões.

Quais desenhos representam os costumes das pessoas em:

- Qualquer parte do mundo? _____
- Lugares frios? _____
- Lugares quentes? _____

O que estudamos

Eu escrevo e aprendo

Nesta atividade você vai utilizar a **linguagem escrita** para retomar o que estudou na unidade. Escreva abaixo uma frase sobre o que você estudou em cada capítulo.

Capítulo 1 – Viva a diferença!

_____
_____
_____

Capítulo 2 – Morar e conviver

_____
_____
_____

Minha coleção de palavras em Geografia

Em cada capítulo desta unidade há uma palavra destacada para a sua coleção de palavras em Geografia. São palavras comuns em textos de Geografia e vão ajudar você a compreender melhor todos eles. Reveja essas palavras ao lado.

TRADIÇÃO, página 15.

SOL, página 32.

1. O que você aprendeu com essas duas palavras? Converse com os colegas e o professor.

2. No caderno, escreva essas duas palavras e faça um desenho ou uma colagem para cada uma delas. O significado do seu desenho (ou colagem) deve estar relacionado com o que você aprendeu no capítulo.

Eu desenho e aprendo

Nesta atividade você vai utilizar a **linguagem gráfica** para retomar o que estudou na unidade. Desenhe abaixo o que você mais gostou de estudar em cada capítulo. Se preferir, faça uma colagem.

Capítulo 1 – Viva a diferença!

Capítulo 2 – Morar e conviver

Hora de organizar o que estudamos

As diferenças e as semelhanças entre as pessoas

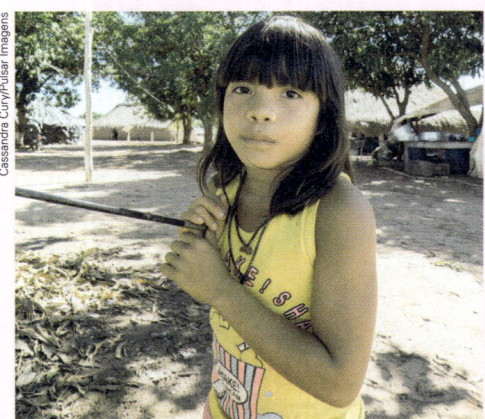

Meu nome é Janaína. Nasci no estado de Mato Grosso.

Meu nome é Helga. Nasci na Alemanha.

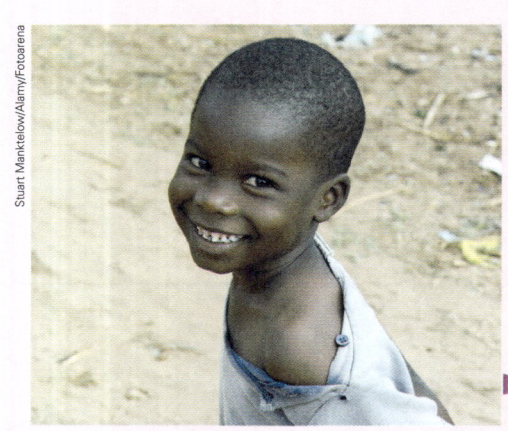

Meu nome é Pedro. Nasci em Moçambique.

Os diferentes costumes e tradições

Monumento das cuias, em Ponta Porã, no estado de Mato Grosso do Sul, em 2017. As cuias são usadas para tomar chimarrão, bebida típica do Rio Grande do Sul.

Barraca de tapioca, produto típico da Bahia, em Matinhos, estado do Paraná, em 2019.

Como desenhar o contorno do corpo deitado e em pé

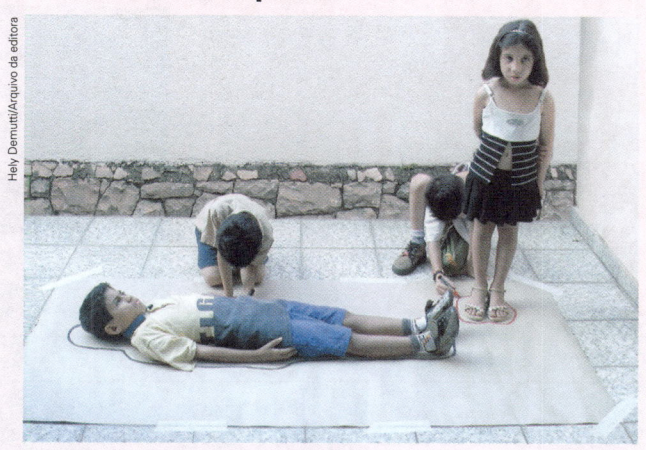

A visão de objetos em diferentes pontos de vista

Os diferentes tipos de moradia no Brasil e no mundo

Rio Rufino, no estado de Santa Catarina. Foto de 2017.

Vilarejo na ilha de Santorini, Grécia. Foto de 2016.

Para você refletir e conversar

- Você teve dificuldade para realizar alguma atividade?
- Você acha importante respeitar as diferenças das pessoas? Por quê?
- As moradias servem para proteção e abrigo. Em sua opinião, que dificuldades as pessoas que não possuem moradia enfrentam?

Unidade

2 Localizar e representar espaços

- As crianças da ilustração estão fazendo representações da escola onde estudam. Você sabe que tipo de representação é essa?
- Você acha que em outros lugares do país as escolas e as salas de aula são muito diferentes?
- Veja a posição em que a professora está. Onde está a lousa em relação a ela?

Capítulo 3

Estudar e conviver

O que você mais gosta de fazer na escola?

Para iniciar

Como é seu dia a dia na escola? Acompanhe a leitura que o professor vai fazer do poema abaixo.

A escola

Todo dia,
na escola,
a professora,
o professor,
a gente aprende
e brinca muito
com desenho,
tinta e cola.
[...]

Quando chega
o recreio
tudo vira
brincadeira.
Como o bolo,
tomo o suco
que vêm dentro
da lancheira.

Quando toca
o sinal,
nossa aula
chega ao fim.
Até amanhã,
amiguinhos,
não se esqueçam,
não, de mim...

Cláudio Thebas.
Amigos do peito.
Belo Horizonte:
Formato, 2006. p. 8-9.

Ilustrações: Alessandra Tozzi/Arquivo da editora

1. O que as crianças do poema fazem na escola?

2. Qual é sua brincadeira preferida no recreio?

Escola: lugar para conviver

A escola é o lugar onde você estuda, aprende a ler e a escrever, brinca e faz muitas outras atividades.

Você também conhece pessoas e convive com os colegas da classe, com outras crianças e com os funcionários da escola.

Faz amizades, trabalha em grupo, aprende a respeitar a opinião de outras pessoas, mas também expressa opiniões próprias.

Sugestão de... Livro

Na minha escola todo mundo é igual, de Rossana Ramos. São Paulo: Cortez, 2004.

1 Vamos conversar sobre sua escola?

a) Com a ajuda do professor, preencha a ficha abaixo.

Nome da escola:	
Nome da rua:	
	Número:
Bairro:	CEP:
Município:	
Estado:	
Telefone:	

b) Converse sobre as questões a seguir com os colegas e o professor.
- Como é a escola onde você estuda?
- Do que você mais gosta nela?
- O que você mudaria nela? Por quê?

c) Com dois colegas, escreva no caderno um pequeno texto sobre a escola. Lembrem-se do que vocês responderam no item **b**.

2 Existem diferentes tipos de sala de aula, como você pode ver nas fotos a seguir.

Sala de aula em Presidente Kennedy, no estado do Espírito Santo, 2019.

Sala de aula em Sorriso, no estado de Mato Grosso, em 2018.

Sala de aula em Santaluz, no estado da Bahia, em 2018.

Sala de aula em São Félix do Xingu, no estado do Pará, 2016.

a) Quais são as semelhanças e as diferenças entre as salas de aula das fotos? Converse com os colegas.

b) A sala de aula onde você estuda se parece com alguma das salas de aula apresentadas acima? Por quê?

Pessoas na escola e nos grupos sociais

grupo social: grupo de pessoas que têm interesses em comum.

Você vai falar agora sobre seus colegas da sala de aula, um **grupo social** do qual você faz parte.

Você vai conhecer também o trabalho dos funcionários da escola e compreender a importância das atividades dessas pessoas no seu dia a dia.

1 Em relação a seus colegas de classe, responda:

a) Quantos meninos há na classe? E meninas? Quantas crianças há no total?

_____

_____

b) Agora, você e os colegas vão construir um mural com o número de meninos e meninas da classe. Siga as orientações do professor e veja a ilustração de como vai ficar.

2 Na escola trabalham vários funcionários. Com um colega, escolha um funcionário e procure saber as seguintes informações sobre ele.

- Nome: _____

- Profissão: _____

- Por que o trabalho dessa pessoa é importante para a escola:

_____

_____

3 As pessoas não vivem isoladas. Todo mundo faz parte de um ou mais grupos sociais. Pode ser a família, os amigos do bairro, os colegas de classe. Veja as fotos a seguir, que mostram dois exemplos de grupos sociais: grupo de alunos de curso de música e times de futebol.

Sugestão de... Livro
Amigos do peito, de Cláudio Thebas. São Paulo: Formato, 2006.

Grupo de crianças de curso de música em São Paulo, no estado de São Paulo, em 2016.

Times de adolescentes indígenas jogando futebol em General Carneiro, no estado de Mato Grosso, em 2018.

a) Discuta com os colegas e o professor as questões abaixo.

- De que grupos sociais você participa?
- Além de respeito e cooperação, quais outras atitudes as pessoas devem ter para uma boa convivência em grupo?
- Dos grupos apresentados nas fotos, de qual você gostaria de participar? Por quê?

b) Procure, em jornais e revistas, uma fotografia de grupo social.

- Na data combinada, leve a imagem pesquisada.
- Com todas as imagens, você e os colegas farão um cartaz.
- Não se esqueçam de identificar o que cada grupo está fazendo e de dar um título ao trabalho.

Minha sala de aula

Em sua moradia, na rua onde você mora, na escola, há muita coisa a ser vista. Que tal começar pela sala de aula?

1 Imagine que você está no centro da sala de aula olhando para a lousa, que está na frente da sala. Escreva o que você vê.

À sua frente _____

À sua esquerda _____  À sua direita _____

Atrás de você _____

2 Agora imagine que você está olhando para o fundo da sala de aula. Escreva o que você vê:

Atrás de você _____

À sua direita _____  À sua esquerda _____

À sua frente _____

3 Pense e responda: Você mudou de posição ou as coisas mudaram de lugar?

4. Ainda imaginando que você está no centro da sala, olhe para a lousa. Observe a posição do Sol antes e depois do meio-dia. Pinte de **amarelo** o quadrinho que indica a posição do Sol.

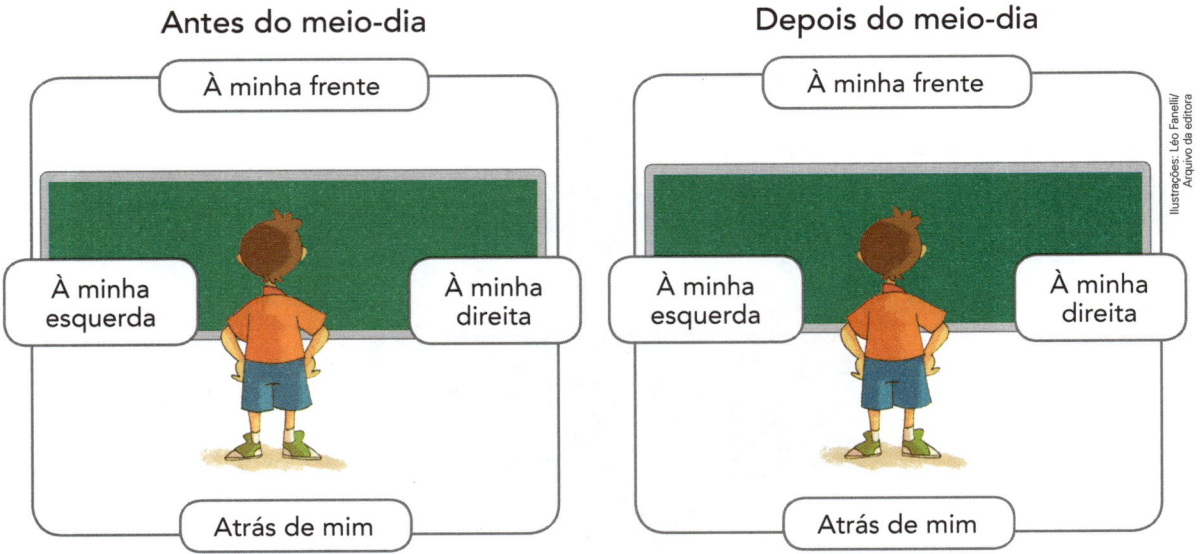

5. Agora, vamos observar um espaço maior: o quarteirão da sua escola.

   a) Com a ajuda do professor, descubra o nome das ruas do quarteirão onde está localizada a escola.

   b) Considere que você está na porta da escola, olhando para ela. Escreva o nome de cada rua do quarteirão da escola no local indicado na ilustração abaixo.

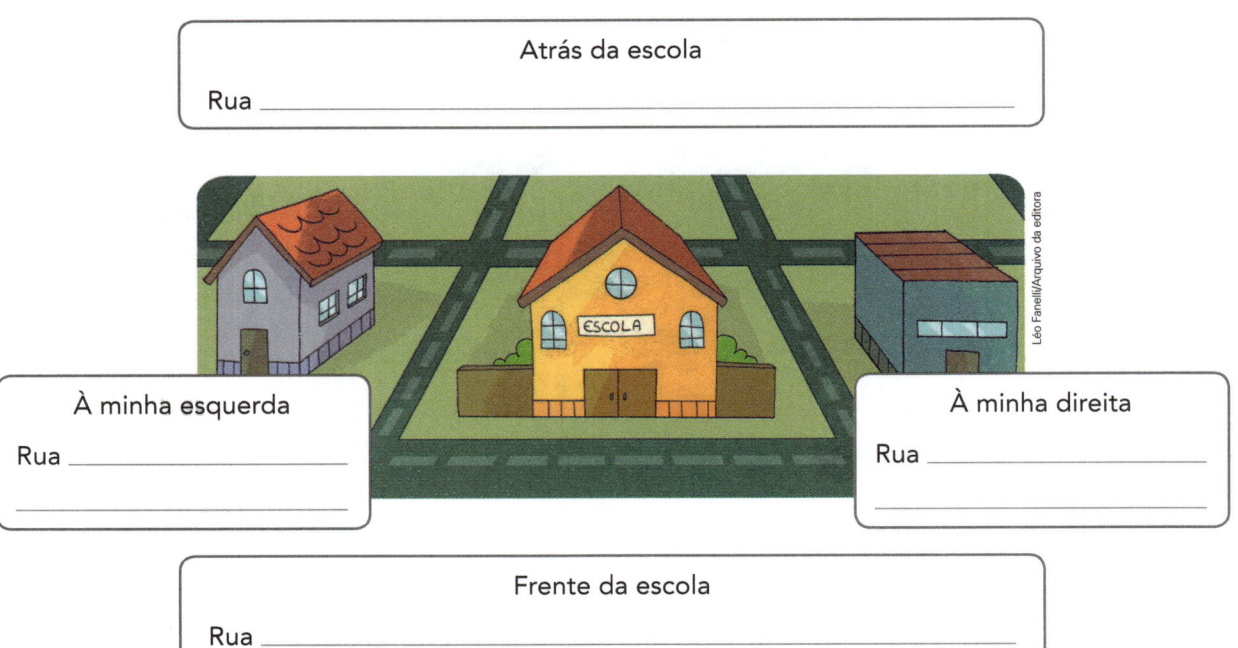

Representação da sala de aula

A sala de aula pode ser representada em tamanho pequeno por meio de construções em miniatura ou maquetes.

As meninas montando a maquete.

1 Ana e Valéria construíram uma maquete da sala de aula usando sucata. Depois, desenharam a sala de aula no papel. Observe as imagens abaixo.

Maquete pronta. Foto tirada do alto, de cima para baixo.

Representação da sala de aula feita a partir da observação da maquete.

a) Escreva o nome dos objetos representados na maquete das meninas.

_____

_____

b) Faça um **X** na resposta correta. Imagine o professor sentado em sua cadeira nessa sala de aula. O armário estará:

☐ à esquerda dele.   ☐ atrás dele.

☐ à direita dele.   ☐ à frente dele.

2 Depois de desenhar a sala de aula, Ana e Valéria escreveram o nome de cada aluno nas cadeiras. Observe como ficou o desenho.

▶ Representação da sala de aula com os nomes dos alunos.

a) As duas alunas fizeram uma brincadeira muito interessante: dizer o mais rápido possível onde os colegas estavam sentados. Com um colega, faça essa brincadeira também. Reveja o desenho e complete as frases a seguir.

- Sara está sentada

    à frente de _____.

    atrás de _____.

    à esquerda de _____.

    à direita de _____.

- Jonas está sentado

    à frente de _____.

    atrás de _____.

    à esquerda de _____.

    à direita de _____.

b) Agora, apresente uma indicação de onde estão sentados:

- Caio: _____
- Fernando: _____

3 A professora de Ana e de Valéria usou setas coloridas para mostrar de outra maneira onde os alunos estão sentados. Veja o que as setas indicam.

➤➤	➤➤	➤➤	➤➤
atrás	à frente	à direita	à esquerda

a) Complete as frases considerando as setas acima.

- Valéria senta-se ➤➤ (azul) de _____.
- Fernando senta-se ➤➤ (laranja) de _____.
- Lara senta-se ➤➤ (amarela) de _____.
- Tiago senta-se ➤➤ (rosa) de _____.

b) Agora você vai pintar as flechas:

- Caio senta-se ➤➤ de Tiago.
- Paula senta-se ➤➤ de Bruno.
- Fábio senta-se ➤➤ de Ana.
- Vítor senta-se ➤➤ de Patrícia.

Minha coleção de palavras em Geografia

Neste capítulo você viu a maquete e sua representação por meio de foto e desenho. Agora, vamos conhecer uma nova palavra.

LEGENDA

1. O que é legenda?
2. Com os colegas e o professor, encontre exemplos de legendas neste capítulo.

4. Com a orientação do professor, formem grupos de quatro pessoas para representar a sala de aula por meio de uma maquete. Utilizem a maquete da página 51 como modelo.

a) Agora, desenhe a maquete que foi feita pelo grupo. Siga as orientações:
- Em uma folha de papel avulsa, faça o desenho da sala de aula com base na maquete que vocês fizeram.
- Pinte os móveis. Escreva seu nome e o nome dos colegas nas carteiras onde se sentam.
- Quando terminar, cole o desenho no espaço abaixo.

b) Observe atentamente seu desenho. Escreva quem se senta:
- à sua frente: _____.
- atrás de você: _____.
- à sua direita: _____.
- à sua esquerda: _____.

c) Circule, em seu desenho, o local onde você se senta. Preste atenção às indicações das setas e complete as frases.

- Eu sento ▶▶ de _____.
- Eu sento ▶▶ de _____.
- Eu sento ▶▶ de _____.
- Eu sento ▶▶ de _____.

Saiba mais

Existem outras formas de localizar posições na sala de aula. Vamos conhecer mais uma delas?

Reveja na imagem abaixo a sala de aula onde Ana e Valéria estudam. Nesta imagem, a sala está dividida em quatro partes, em quatro quadrículas.

1. Veja um exemplo de localização: Patrícia 1A

2. Agora, indique em que quadrícula estes alunos estão sentados.

- Fernando: _____
- Carolina: _____
- Tiago: _____
- Jonas: _____

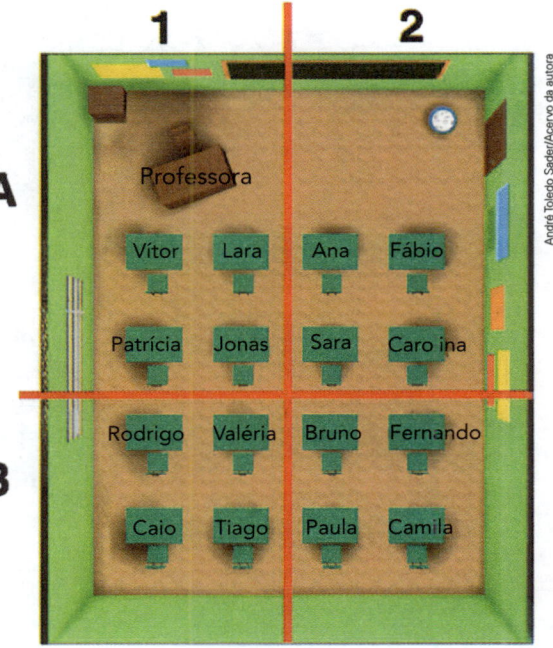

Capítulo 4

As ruas e os caminhos

Como é a rua onde você mora?

Para iniciar

Leia, com os colegas e o professor, um trecho da letra desta canção e descubra uma rua muito especial!

Até pensei

Junto à minha rua havia um bosque
Que um muro alto proibia
Lá todo balão caía
toda maçã nascia
E o dono do bosque nem via
[...]

Chico Buarque. **Chico Buarque de Hollanda**: Volume 3. São Paulo: RGE, 1968. 1 CD. Faixa 8.

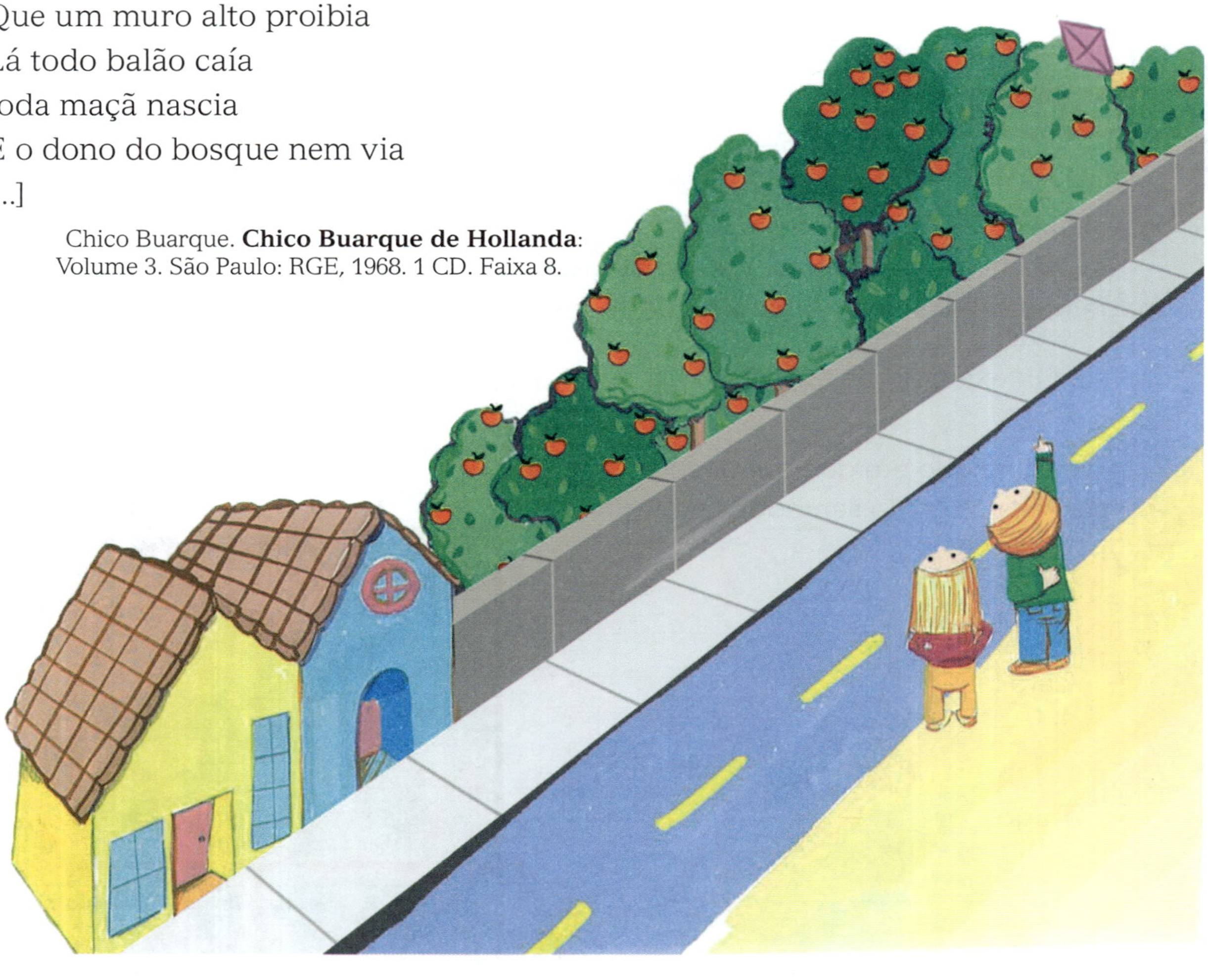

1. Como você imagina a rua da canção?

2. Existe algum lugar como esse na rua onde você mora? Como ele é?

Como é minha rua

As ruas não são iguais. Cada rua tem características próprias. Como é a sua rua? Você costuma brincar nela?

1 Observe a rua onde você mora e responda às questões.

a) Como é a rua durante o dia?

_____

b) E à noite, como ela é?

_____

c) O que acontece de diferente nela durante a semana?

_____

_____

2 Assinale com um **X** as características da rua onde você mora.

a) A rua onde você mora é:

☐ movimentada.   ☐ limpa.

☐ calma.   ☐ arborizada.

☐ asfaltada.   ☐ conservada.

b) A rua onde você mora tem:

☐ água encanada.   ☐ luz elétrica.

☐ calçadas.   ☐ linha telefônica.

☐ rede de esgotos.   ☐ coleta de lixo.

3 O que pode ser feito para que sua rua se torne um lugar melhor e mais bonito? Converse com os colegas e o professor.

4 Em uma folha avulsa, desenhe um trecho de sua rua. Depois, compare seu desenho com o dos colegas. Converse com eles sobre as semelhanças e as diferenças entre as ruas.

Sinalização nas ruas

Na maioria das ruas, existem **placas de sinalização** e **semáforos** que orientam motoristas, pedestres, ciclistas e motociclistas e ajudam a evitar acidentes de trânsito.

Sugestão de...
Livro
Pra lá e pra cá: educação para o trânsito, de vários autores. São Paulo: Caramelo, 2015.

1 Acompanhe a leitura do professor.

Respeitem os sinais de trânsito

A todos os alunos
Aqui eu quero avisar
Que indo ou vindo da escola
É bom tomar meu conselho
Se veem o sinal vermelho
Nunca devem atravessar

Quem espera o sinal verde
Tem segurança e tem sorte
E, chega em casa tranquilo
Sem arranhão e sem corte

Respeitem o sinal vermelho
E, quando o sinal mudar
Para o verde, pode passar
O sinal verde dá sorte

José Costa Leite. **Cordel para o trânsito**:
Colégio Soledade.
Condado: São Paulo, [s.d.].

a) Sublinhe de **vermelho** no poema os dois últimos versos da primeira estrofe.

b) Agora, sublinhe de **verde** os dois últimos versos da terceira estrofe.

c) O que significam as cores do semáforo de pedestres?

 _____

 _____

2 Você vai conhecer algumas placas de sinalização e entender o significado delas.

a) Observe as placas abaixo e leia o significado de cada uma delas.

Siga em frente   Vire à direita   Vire à esquerda

Reproduções de placas de trânsito.

Aeroporto   Crianças   Trânsito de ciclistas

b) Responda às questões a seguir.

- Na rua onde você mora, existem placas iguais a essas? Quais?

  _____

- E na rua da escola?

  _____

c) Desenhe uma placa diferente das que foram apresentadas e escreva o significado dela.

d) Escreva uma frase para cada placa abaixo.

Reproduções de placas de trânsito.

As transformações nos lugares

As ruas e os lugares podem sofrer muitas **mudanças** ao longo do tempo. Por exemplo: novas construções são feitas, como prédios e praças, onde havia casas; ruas são asfaltadas e ampliadas.

Mas há também as **permanências**, ou seja, o que fica igual, o que não muda.

1 Observe as fotos a seguir, que mostram o mesmo lugar em épocas diferentes.

Ladeira da Memória, no município de São Paulo, estado de São Paulo, em 1929.

Ladeira da Memória, em 2017.

a) Compare as duas fotos da página anterior. O que mudou e o que permaneceu igual nesse lugar?

Mudanças	Permanências

b) Agora, você vai ver o que mudou na sua rua. Converse com uma pessoa que mora há muito tempo nessa rua. Se não houver uma pessoa que conheça a história da rua, faça uma pesquisa na internet, com a ajuda de um adulto, sobre as mudanças e as permanências que ocorreram nela.

Mudanças	Permanências

2) Os lugares que antigamente eram tranquilos podem apresentar um trânsito movimentado nos dias de hoje. Por isso o trânsito precisa ser organizado nesses espaços.

> **Sugestão de...**
> **Livro**
> **A menina que parou o trânsito**, de Fabrício Valério. São Paulo: Vergara & Riba, 2016.

a) Observe as fotos abaixo. Circule uma sinalização que você ache muito importante e explique aos colegas a importância dela.

Na foto 1, rua São Clemente, no município do Rio de Janeiro, no estado do Rio de Janeiro, 1904. Na foto 2, a mesma rua, em 2017.

b) Para organizar o trânsito, as prefeituras instalam faixas de pedestre, placas de sinalização, semáforos, entre outros. Todas essas medidas são necessárias para evitar riscos à vida de pessoas e animais.

Veja outras placas e circule as que existem no lugar onde você mora.

Parada obrigatória

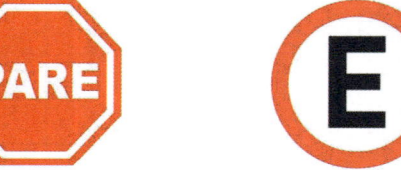
Estacionamento regulamentado

Escola

Velocidade máxima

Cuidado: Travessia de animais silvestres

Desmoronamento

Obras

Proibido ultrapassar

Reproduções de placas de trânsito.

Assim também aprendo

Leia a história em quadrinhos do Menino Maluquinho.

O Menino Maluquinho, tira de Ziraldo. **As melhores tiradas do Menino Maluquinho**. São Paulo: Melhoramentos, 2000.

1. Com um colega, descubra o significado que o menino deu a cada uma das placas que ele criou no primeiro quadrinho.

2. Ainda com o colega, crie em uma folha avulsa uma placa de sinalização para um problema que existe no lugar onde vocês moram.

3. Agora, todos os alunos da classe vão juntar as placas criadas. Depois, com a ajuda do professor, organizem um varal na sala de aula.

Minha coleção de palavras em Geografia

Sempre que você anda pelas ruas pode perceber como está o trânsito.

TRÂNSITO

1. O que é trânsito?

2. Como é o trânsito na rua da escola onde você estuda?

Trajetos no meu dia a dia

Para ir de um lugar a outro, percorre-se um caminho ou um **trajeto**. O trajeto pode ser da porta da escola até a sala de aula, da casa até a escola, de casa até o supermercado, do parque até a padaria...

1 Reveja o desenho da sala de aula de Ana e Valéria. Observe os trajetos indicados pelas linhas coloridas.

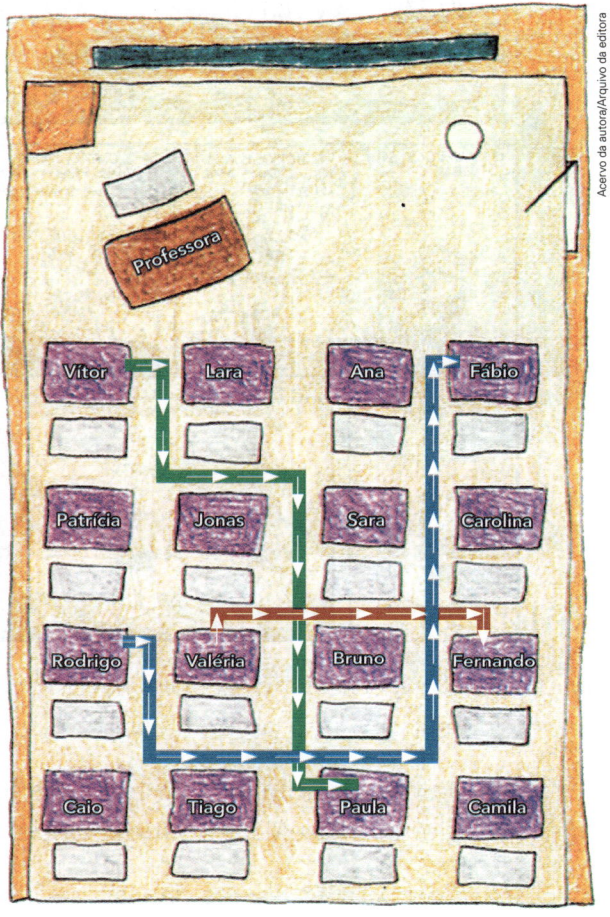

a) Identifique os alunos que estão ligados pelos trajetos coloridos e escreva o nome deles.

▶▶▶ _____

▶▶▶ _____

▶▶▶ _____

b) Pinte o quadro com o caminho mais longo.

| Da carteira de Vítor à de Paula. | Da carteira de Valéria à de Fernando. |

c) Pinte o quadro com o caminho mais curto.

| Da carteira de Rodrigo à de Fábio. | Da carteira de Valéria à de Fernando. |

2 Caio estuda na sala **B**, a mesma sala onde estudam Ana e Valéria. Veja os dois caminhos que Caio percorreu dentro da escola.

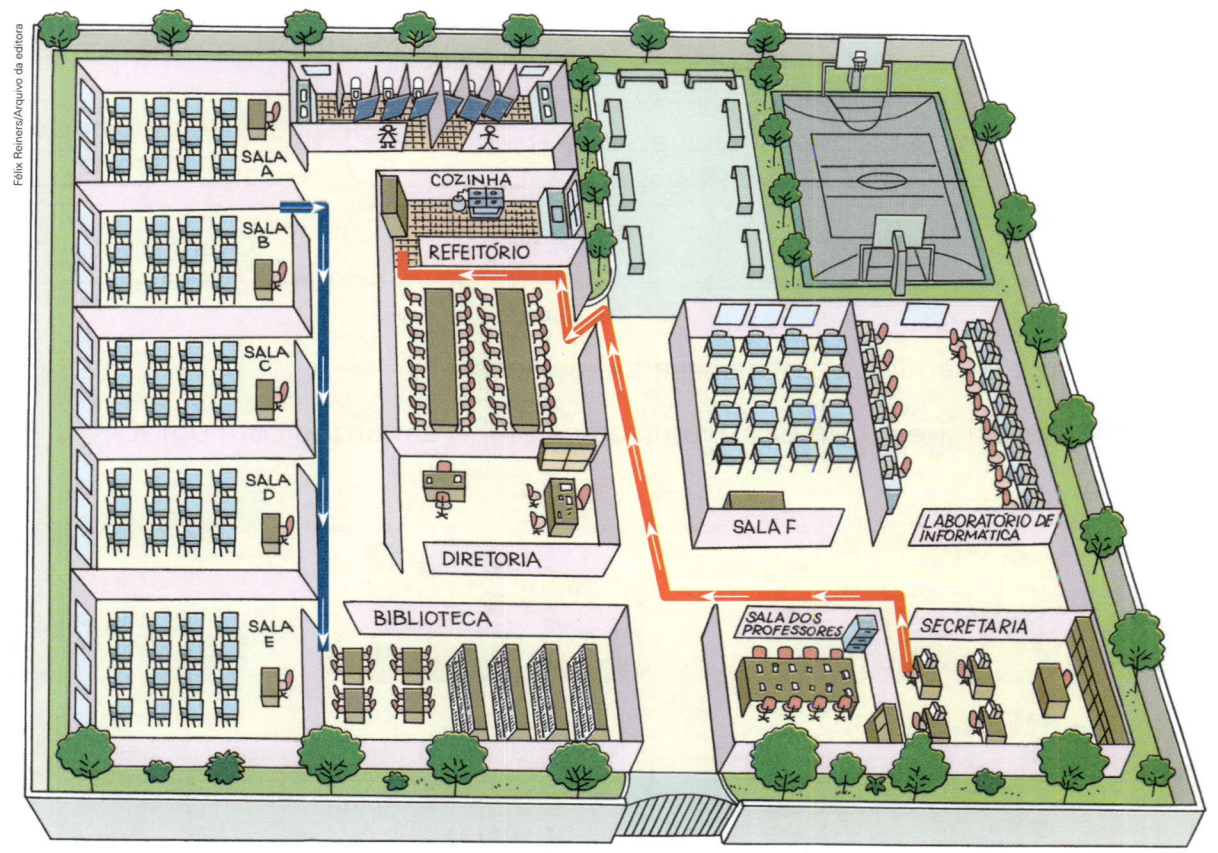

a) Por quais lugares Caio passou para ir à biblioteca saindo da sala de aula?

_____

b) Por quais lugares ele passou para ir da secretaria até a cozinha?

_____

c) Imagine que Lara, colega de Caio, Ana e Valéria, também está na escola. Junte-se a um colega para fazer as atividades a seguir. Escolham quem vai iniciar a atividade.

- Escolha dois lugares na escola: o lugar onde está Lara e um lugar para onde ela vai. Peça ao colega que diga qual caminho Lara deve fazer. Anote o caminho em um pedaço de papel e entregue ao colega.

- Agora é a vez de o colega escolher dois lugares. Você deverá indicar um caminho que Lara vai percorrer e seu colega vai anotar em um papel e entregar a você.

Caminho casa-escola

Agora, você vai estudar o caminho da sua casa até a escola.

1 Como você vai para a escola? Pinte sua resposta.

- A pé
- De barco
- De transporte escolar
- De automóvel
- De trem
- Outro transporte

2 Como é o caminho de sua casa até a escola?

a) Identifique o que existe em seu caminho e marque com um **X**.

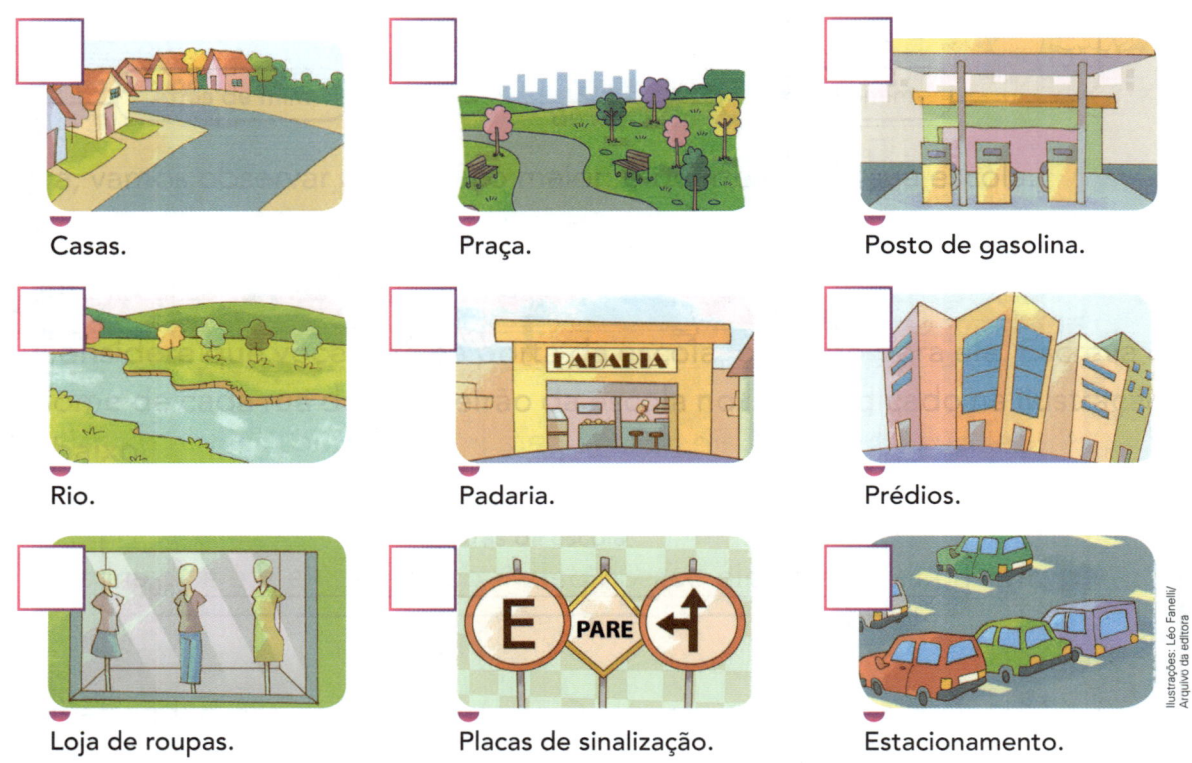

- Casas.
- Praça.
- Posto de gasolina.
- Rio.
- Padaria.
- Prédios.
- Loja de roupas.
- Placas de sinalização.
- Estacionamento.

b) Há outros elementos que você observa em seu caminho que não estão desenhados acima? Escreva o nome deles.

_____

_____

c) Escolha e desenhe, em uma folha avulsa, os três lugares mais importantes para você no caminho de sua casa até a escola.

Com a palavra...

Quando estamos em uma rua, uma praça ou um lugar público precisamos ter certos cuidados. Você sabe quais são eles?

Leia a entrevista com a geógrafa Maria Fernanda para saber o que ela fala sobre esses cuidados.

Explique uma atividade que você faz com as crianças em lugares públicos.

As crianças do Programa Curumim do Sesc da cidade de Jundiaí (SP) procuram descobrir do que, como e com o que elas podem brincar nos espaços públicos, de forma divertida e segura. Por duas semanas, ocupamos uma praça bem grande.

Maria Fernanda Zanatta Zupelari (geógrafa do Sesc Jundiaí, que trabalha com educação não formal).

Com tocos de madeira encontrados na praça construímos uma escadinha para ajudar a subir nas árvores e bancos para descansar. As crianças ainda plantaram flores e ervas aromáticas e recolheram o lixo em uma grande gincana.

O que é importante as crianças observarem em uma praça?

Na praça, conversamos com as crianças para que elas observem o que está igual e o que mudou no local a cada visita. Elas observam, por exemplo, quem são os outros frequentadores da praça (crianças, garis, jardineiros ou pipoqueiros), se os sons ouvidos são naturais ou artificiais ou se as árvores estão floridas ou com frutos.

Explique a importância dos sinais de trânsito que existem no trajeto da escola até a praça.

As crianças são estimuladas a conhecer seus principais caminhos do dia a dia, caminhando por eles a pé. Elas devem observar se as calçadas têm largura e piso adequados, se há buracos nelas. Nestes caminhos, as crianças devem ficar atentas para os sinais de trânsito que existem, para sinalização e aqueles que estão faltando. Depois, em uma roda de conversa, compartilhamos as impressões e pensamos em soluções. Afinal, conhecer o nosso bairro também pode ser por meio de uma brincadeira!

Como as crianças podem ajudar a manter as ruas e as praças limpas e agradáveis?

Quando as crianças conhecem, caminham, exploram, criam memórias e, principalmente, brincam nos espaços públicos, como as praças, esses lugares se tornam importantes para elas e para a cidade em que vivem.

Tecendo saberes

No trajeto que percorremos de um lugar a outro, alguns elementos chamam mais nossa atenção. Eles são nossos **pontos de referência**.

1 Vamos trabalhar com nossos pontos de referência?

a) Na página 66, foi pedido que você desenhasse os três lugares mais importantes no seu caminho. Eles são os seus pontos de referência no trajeto de sua casa para a escola. Escreva abaixo quais são eles.

_____

_____

_____

b) Agora, desenhe o caminho da sua casa até a escola com esses pontos de referência.

2 Como você gostaria que fosse a rua onde mora? Você mudaria alguma coisa nela? Acompanhe a leitura do professor do trecho de uma cantiga popular.

Se essa rua, se essa rua fosse minha,
Eu mandava, eu mandava ladrilhar,
Com pedrinhas, com pedrinhas de brilhante,
Para o meu, para o meu amor passar.
[...]

Brasil. Ministério da Educação. **Adivinhas, canções, cantigas, parlendas, poemas, quadrinhas e trava-línguas**. Brasília: Fundescola/SEF-MEC, 2000. p. 22.

a) Desenhe e pinte como você imagina a rua citada na cantiga. Faça um desenho diferente do que mostra a ilustração.

b) Agora, você vai ser o autor da cantiga. Copie o primeiro verso e depois complete com outros três versos, que você vai criar, formando uma estrofe.

_____
_____
_____
_____

O que estudamos

Eu escrevo e aprendo

Nesta atividade você vai utilizar a **linguagem escrita** para retomar o que estudou na unidade. Escreva abaixo uma frase sobre o que você estudou em cada capítulo.

Capítulo 3 – **Estudar e conviver**

_____
_____
_____

Capítulo 4 – **As ruas e os caminhos**

_____
_____
_____

Minha coleção de palavras em Geografia

Em cada capítulo desta unidade há uma palavra destacada para a sua coleção de palavras em Geografia. São palavras comuns em textos de Geografia e vão ajudar você a compreender melhor todos eles. Reveja essas palavras ao lado.

LEGENDA, página 53.

TRÂNSITO, página 63.

1. O que você aprendeu com essas duas palavras? Converse com os colegas e o professor.

2. No caderno, escreva essas duas palavras e faça um desenho ou uma colagem para cada uma delas. O significado do seu desenho (ou colagem) deve estar relacionado com o que você aprendeu no capítulo.

Eu desenho e aprendo

Nesta atividade você vai utilizar a **linguagem gráfica** para retomar o que estudou na unidade. Desenhe abaixo o que você mais gostou de estudar em cada capítulo. Se preferir, faça uma colagem.

Capítulo 3 – Estudar e conviver

Capítulo 4 – As ruas e os caminhos

Hora de organizar o que estudamos

Diferentes maneiras de representar os lugares

- maquete

- desenho

Os significados dos símbolos

 atrás
 à frente
 à direita
 à esquerda

As posições na sala de aula

- atrás
- à frente
- à direita
- à esquerda

Os pontos de referência nos trajetos

- padarias
- lojas de roupas
- praças
- postos de gasolina
- e outros mais

O uso de quadrículas para a localização

- 1A
- 2B

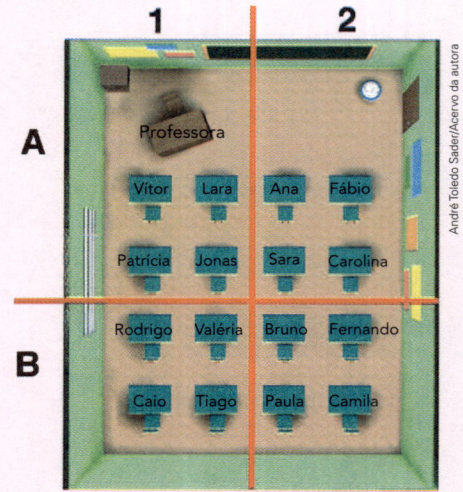

As mudanças e as permanências nos lugares

Ladeira da Memória, no município de São Paulo, estado de São Paulo, em 1929.

Ladeira da Memória, em 2017.

A sinalização nas ruas

Siga em frente

Aeroporto

Vire à direita

Crianças

Vire à esquerda

Trânsito de ciclistas

Fonte: Denatran/Ilustração digital/Arquivo da editora

Os trajetos do dia a dia

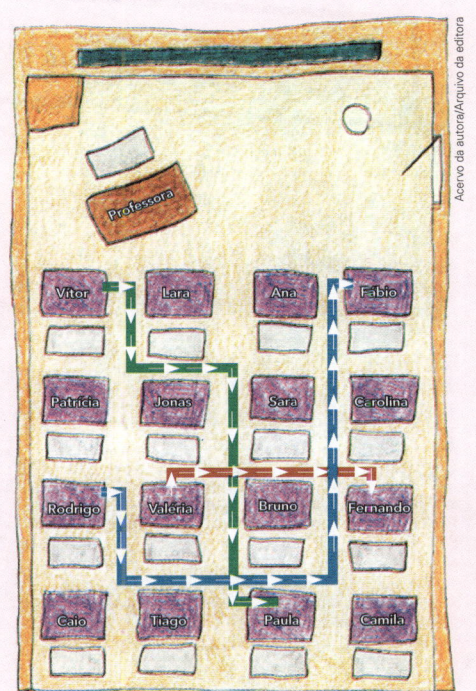

Para você refletir e conversar

- Você teve dificuldade para realizar alguma atividade?
- Todos os dias, convivemos com diversas pessoas. Com quais pessoas você convive no seu dia a dia?
- Qual é a principal referência perto da sua escola? Essa referência apresentou algum tipo de mudança ao longo do tempo?

Unidade

3 Viver e trabalhar

- O bairro onde você mora é parecido com o bairro da ilustração?
- O que você conhece do bairro onde você mora?
- Observando as ruas do seu bairro, qual é o meio de transporte mais utilizado?

Capítulo 5

A vida cotidiana

O que está ao seu redor neste momento?

Para iniciar

Vamos ver o que há ao nosso redor? Para começar, leia o poema a seguir.

Ponto de vista

[...]
À direita vejo um bosque,
À esquerda uma lagoa,
Logo acima o céu,
Sob os pés a terra boa!
[...]
Mas, se viro de repente,
Tudo muda desde o início!

O que estava à minha esquerda
À direita está agora.
Tudo ficou diferente,
Tudo girou sem demora!
[...]

Sonia Salerno Forjaz. **Ponto de vista**.
São Paulo: Moderna, 1992. p. 25-26.

1. Em sua opinião, por que o poema chama-se "Ponto de vista"?

2. E agora, que tal uma brincadeira?

   a) Formem grupos de dez alunos e façam uma roda na quadra da escola.

   b) Um aluno fica no centro e diz quem está à direita, à esquerda, em frente e atrás dele.

   c) Em seguida, o aluno fecha os olhos e gira um pouco. Ao abrir os olhos, a situação está diferente: quem está agora à direita dele? E à esquerda? E assim por diante.

Os arredores da escola

Você conhece bem o que existe ao redor de sua escola? Já deu uma volta no quarteirão onde ela está localizada?

1 Agora, você vai observar a fotografia aérea da escola de Carlos e de Maria e seus arredores.

Visão do alto e de lado

Escola em Pereiras, no estado de São Paulo, 2017.

a) O que você vê nos arredores dessa escola?

b) Cite um ponto de referência perto dessa escola.

c) Escreva uma frase sobre o quarteirão da escola usando as palavras:

Casas   Terreno vazio

2 Que tal passear pelos arredores de sua escola?

> **Sugestão de... Livro**
> **O que é que tem no seu caminho?**, de Bia Villela. São Paulo: Moderna, 2014.

a) Você e seus colegas vão fazer um percurso com o professor para identificar alguns elementos perto da escola.

- Anotem no caderno os elementos que vocês viram.
- Anotem também qual é o ponto de referência mais importante.
- Vejam novamente os desenhos da página 66.

b) Agora, vamos registrar o que vocês viram perto da escola.

- O professor vai desenhar um quadro na lousa e anotar os elementos que você e os colegas observaram.
- Siga as instruções do professor para o trabalho conjunto na lousa.

3 Maria e Carlos falam dos arredores da escola onde estudam:

a) Agora complete as frases abaixo com dados dos lugares ao redor de sua escola.

- Nos arredores da escola, as ruas são _____.

- As casas são _____.

- Ao redor da escola, os espaços verdes são _____.

b) Converse com os colegas e o professor sobre o que você gostaria que existisse perto da escola.

78

Diferentes pontos de vista

Dependendo de onde estamos, podemos ver os objetos, as pessoas ou os lugares de diferentes pontos de vista. Vamos ver alguns exemplos.

1 Para um trabalho de Geografia, Carlos precisou de fotos da escola e dos arredores.

Primeiro, ele tirou fotos da entrada da escola e de uma quadra de esportes (fotos 1 e 2). Depois, ele conseguiu na prefeitura imagens aéreas da escola e arredores, de diferentes **pontos de vista** (fotos 3 e 4). Observe as imagens.

Entrada de uma escola em Pereiras, no estado de São Paulo, 2017.

Quadra de esporte na mesma escola, 2017.

Esta foto aérea foi feita do alto e de lado. Veja o pequeno desenho do helicóptero. Foto de 2017.

Esta imagem foi feita do alto, exatamente de cima para baixo. Veja o pequeno desenho do helicóptero. Foto de 2017.

a) O que representa a seta amarela na imagem 3? E na imagem 4?

b) Compare as imagens 3 e 4 e converse com os colegas sobre uma diferença entre elas.

2 Agora, imagine que você fez um passeio de helicóptero. Lá do alto, você viu uma escola, uma praça e outros elementos, como mostram os desenhos a seguir.

a) Compare os dois desenhos. Qual é a diferença entre eles?

Vista do alto e de lado – **Visão oblíqua**

Vista do alto, exatamente de cima para baixo – **Visão vertical**

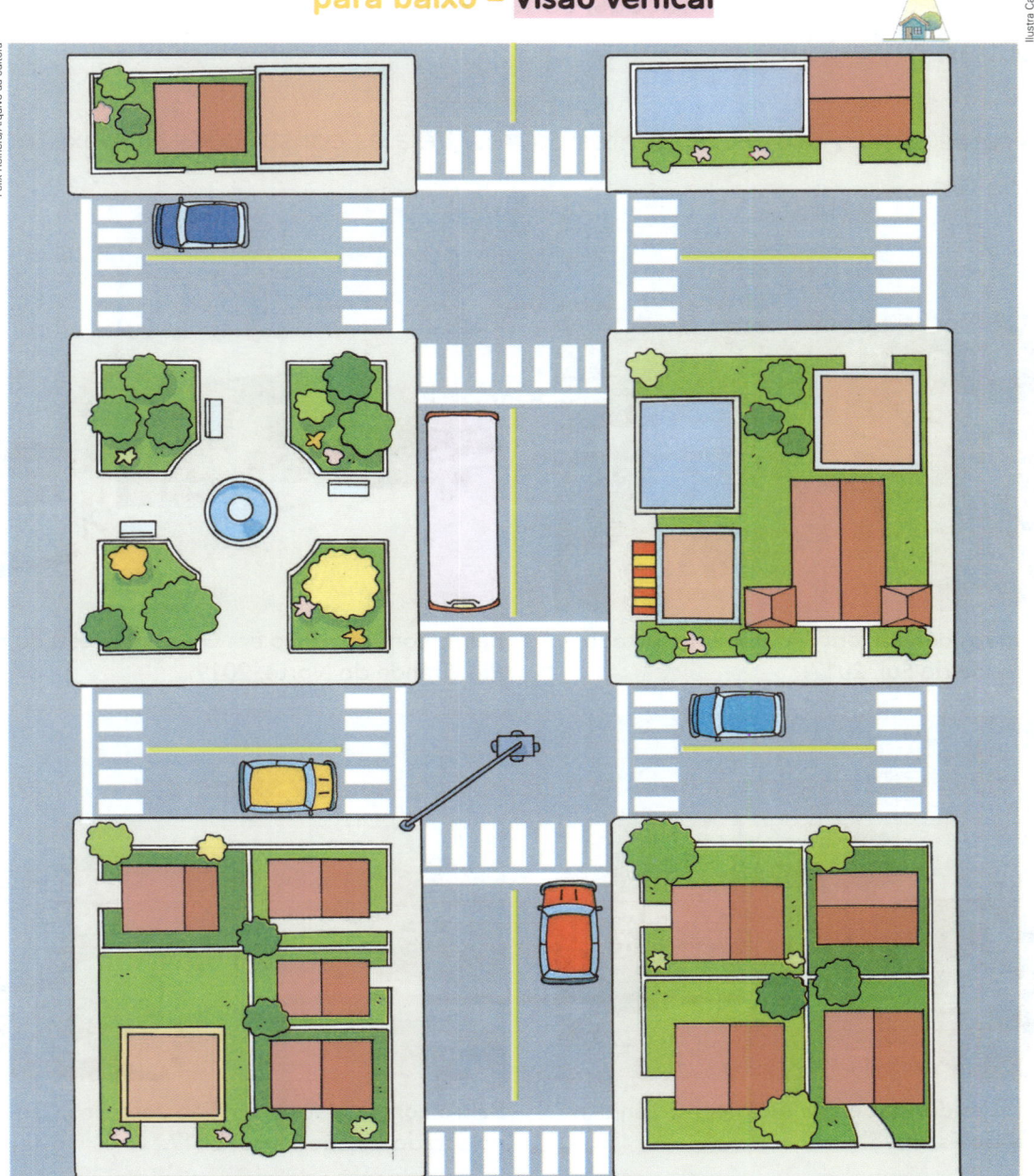

b) O que você consegue reconhecer nos desenhos?

_____
_____
_____

A vida e o trabalho no bairro

Nos bairros, as pessoas vivem e desenvolvem muitos tipos de trabalho. Neles podem existir diferentes construções, como casas, lojas, escolas, igrejas, indústrias, entre outras.

1 As fotos abaixo são de diferentes bairros. Veja as construções que existem em cada um.

Bairro com residências em São Borja, no estado do Rio Grande do Sul, 2017.

Bairro com comércio em Goianinha, estado do Rio Grande do Norte, 2019.

Bairro com residências e comércio em Goiânia, no estado de Goiás, 2015.

Bairro com indústrias em São José dos Campos, no estado de São Paulo, 2017.

a) Algum desses bairros se parece com o bairro de sua escola? Qual?

b) Algum deles se parece com o bairro onde você mora? Qual?

c) Escolha um dos bairros e escreva uma frase sobre ele.

2 Há profissionais que produzem alimentos; outros que fabricam roupas; outros que transportam mercadorias e pessoas.

> **Sugestão de... Livro**
> **Lico e Leco: profissões**, de Aino Havukainen e Sami Toivonen. São Paulo: Panda Books, 2014.

a) Forme dupla com um colega. Escrevam o nome de três profissões que vocês conhecem que começam com as letras abaixo.

| D | P | M | B |

_____ _____ _____ _____

_____ _____ _____ _____

_____ _____ _____ _____

b) Das profissões listadas acima, quais delas geralmente são exercidas durante o dia e também à noite.

_____

_____

c) Escreva o nome de outras duas profissões que são exercidas durante a noite e o dia. Elas podem começar com qualquer letra.

_____

d) Procure em revistas, jornais ou na internet imagens que representam essas duas profissões que você anotou acima. Cole as imagens em uma folha à parte. Mostre ao professor e depois cole no seu caderno.

Minha coleção de palavras em Geografia

Existem atividades importantes para a economia dos municípios. Essas atividades criam empregos e renda para a população. Agora, vamos conhecer uma dessas atividades.

INDÚSTRIA

1. O que é indústria

2. Existem indústrias no município onde você mora? Cite um exemplo.

Representação de um bairro

Esta é a representação de parte do bairro onde moram Paulo, Aline, Pedro e Larissa. Vamos ver como eles se localizam no bairro? Observe o desenho.

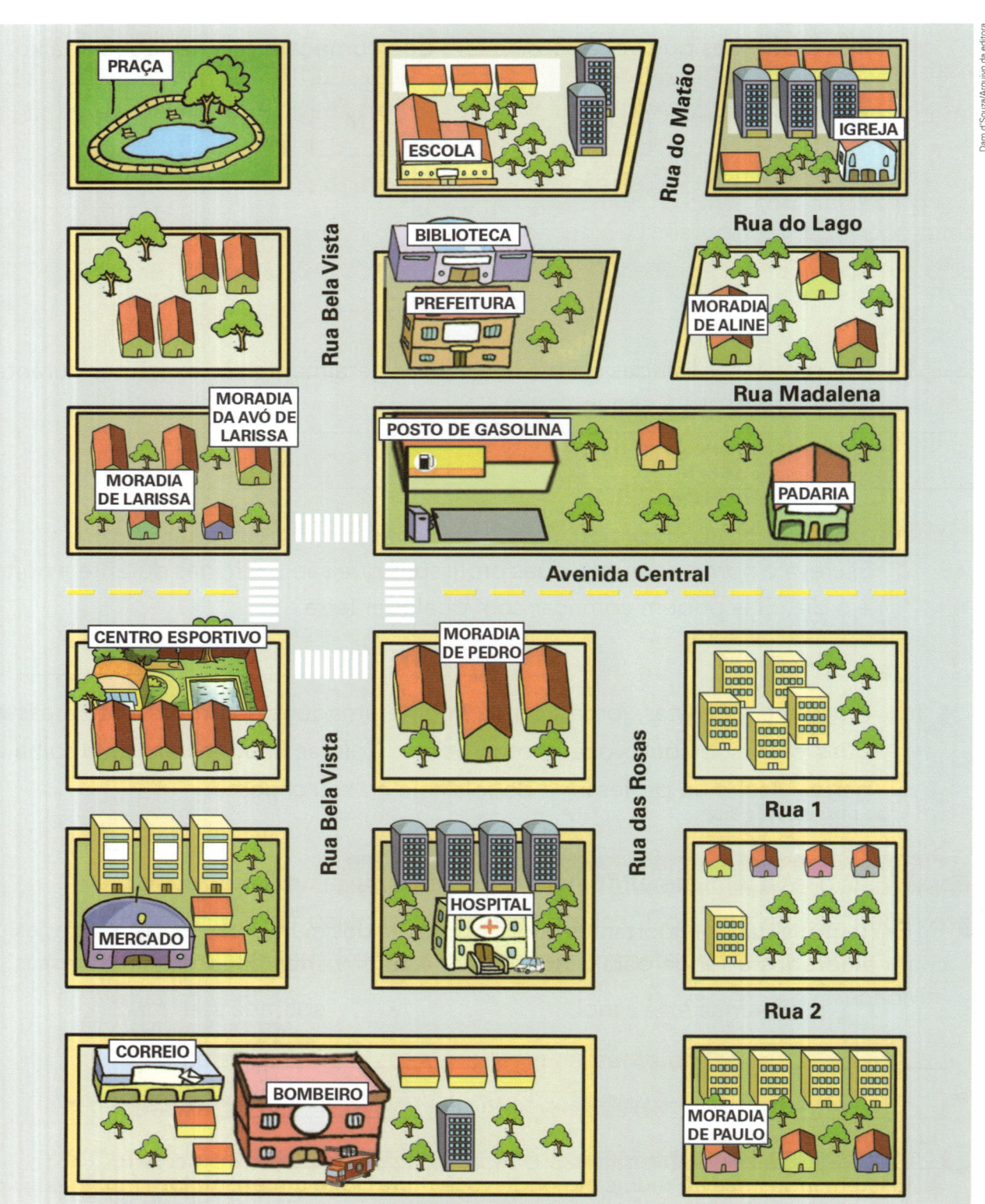

1) Imagine que você está de frente para o desenho da página ao lado. Converse sobre as questões a seguir com os colegas e o professor.

   a) O posto de gasolina fica perto ou longe da moradia de Aline?

   b) A igreja fica perto ou longe do correio?

   c) A moradia de Larissa fica perto ou longe da moradia de sua avó?

   d) A moradia de Paulo fica mais perto do correio ou da praça?

   e) A moradia de Pedro fica mais longe da biblioteca ou do posto de gasolina?

2) Continue imaginando que você está de frente para o desenho da página ao lado e responda:

   a) À direita da escola está a praça ou a igreja? _____

   b) A prefeitura fica à direita ou à esquerda da moradia de Aline? _____

   c) O bombeiro fica à esquerda ou à direita da moradia de Paulo? _____

   d) À esquerda da moradia de Pedro está o hospital ou o centro esportivo?

   _____

3) No desenho da página ao lado, trace os seguintes trajetos:

   a) O caminho mais curto para Aline de sua moradia ao centro esportivo.

   b) O caminho mais curto da moradia de Larissa até a escola, passando pela moradia de Aline.

   c) O caminho mais curto da moradia de Paulo até o mercado.

4) Considerando os trajetos que você desenhou, responda:

   a) Quando Aline foi ao centro esportivo, qual foi a maior construção que ela viu do lado direito nesse trajeto?

   _____

   b) Quando Larissa foi para a escola, passando pela moradia de Aline, o que ela viu do lado direito?

   _____

   c) No trajeto da casa de Paulo até o mercado, o que se vê do lado direito?

   _____

Unidade 3 · Capítulo 5

Saiba mais

Nos bairros, geralmente existem moradias, lojas e outras construções. Observe o desenho de um bairro. Vamos aprender a fazer agrupamentos nesse desenho e a construir uma legenda para ele?

1. Com a orientação do professor, escolha uma cor para cada quadrinho da legenda abaixo. Pinte cada um.

2. Escreva ao lado de cada quadrinho o nome do agrupamento, conforme o modelo.

3. Pinte os agrupamentos no desenho acima, de acordo com as cores escolhidas.

Nesses lugares as pessoas moram. → ☐ Moradias.

Nesse lugar as crianças estudam. → ☐ _____

Nesses lugares são vendidos vários produtos. → ☐ _____

Nesse lugar são fabricados vários produtos. → ☐ _____

Por esses lugares passam carros e pessoas. → ☐ _____

A história dos bairros

Os bairros apresentam história. Podemos conhecê-la por meio das transformações ocorridas no local, das pessoas que moraram ou moram nele, das atividades desenvolvidas ali, das construções antigas, entre outros.

No Brasil, há centros históricos com construções antigas que ajudam a mostrar a história do lugar. Observe as fotos.

Rua do Giz, em 1908. Centro histórico de São Luís, no estado do Maranhão.

Rua do Giz, em 2017.

1. Converse com seus pais, avós ou outras pessoas idosas que moram há muito tempo no bairro onde você vive. Pergunte a eles sobre as transformações que ocorreram no bairro ou em áreas próximas a vocês.

2. Peça a eles que falem a respeito de alguma construção histórica do bairro ou próxima a ele. Solicite, ainda, que contem a história dessa construção: em que ano foi construída, quem eram os donos, qual era a função da construção (moradia, por exemplo), entre outras curiosidades. Anote as informações no caderno.

3. Conte aos colegas o que você descobriu.

Tecendo saberes

O trabalho faz parte da vida das pessoas. No dia a dia, sempre há pessoas trabalhando.

Há diferentes tipos de trabalho e eles também podem ser feitos em diferentes horários. Veja a seguir algumas situações de trabalho.

1 Observe as fotos.

Rua no centro de Curitiba, no estado do Paraná, 2017.

A mesma rua à noite, 2017.

a) Faça uma lista dos tipos de trabalho que você acha que podem ser feitos nessa rua nos dois períodos retratados: dia e noite.

DIA	NOITE

b) Compare sua lista com a de um colega. Com o professor, faça uma lista completa na lousa.

2 A maior parte do trabalho das pessoas é realizada durante o dia, mas alguns trabalhos são realizados também à noite. Para o nosso bem-estar e saúde, alguns dos locais citados abaixo e seu horário de funcionamento são importantes. Veja as ilustrações para responder às questões.

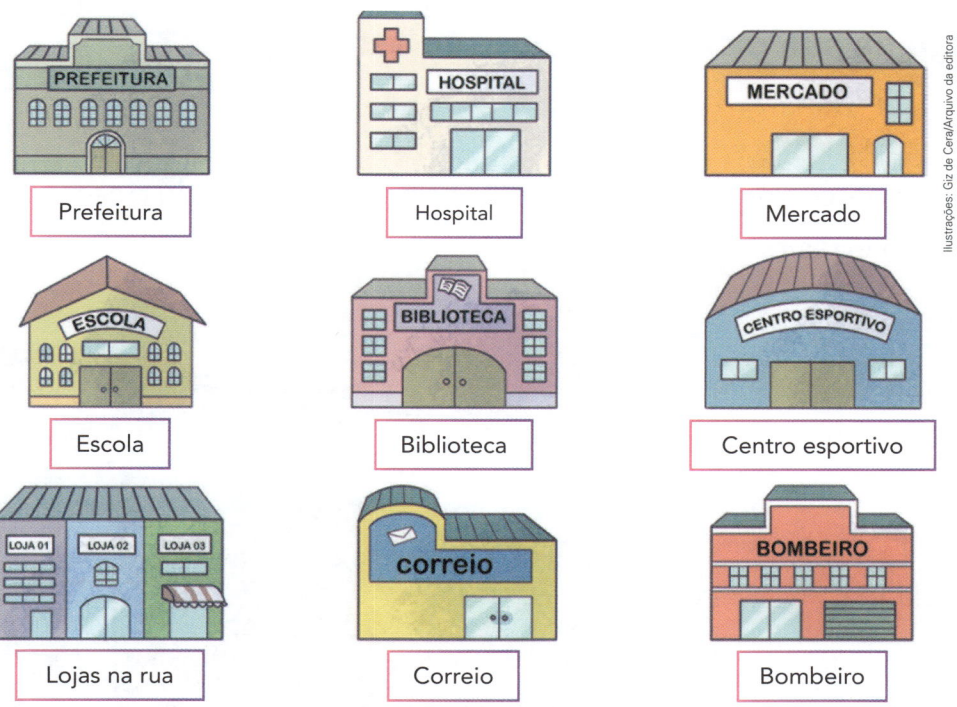

a) Pinte:

- de **vermelho** o nome dos locais onde, normalmente, são feitas atividades durante o dia e durante a noite.

- de **verde** o nome dos locais onde são feitas atividades apenas durante o dia.

b) Algumas atividades que você realiza são importantes para a sua saúde.

- Circule de **amarelo** o nome do local aonde você vai quando está doente.

- Circule de **azul** o nome do local onde você pode praticar esportes.

3 No dia a dia, as pessoas realizam uma atividade muito importante para a saúde e que dá energia para o dia seguinte. Quando somos crianças costumamos fazer essa atividade durante a noite toda.

Qual é essa atividade? Pinte o quadrinho correto.

Comer   Dormir   Estudar   Jogar futebol

Capítulo 6

O trabalho e a circulação

Você percorre bastante o bairro onde mora? Vai a lugares perto ou longe de sua moradia? Quais são esses lugares?

Para iniciar

Vamos percorrer diferentes caminhos começando pelo poema abaixo. Leia-o com os colegas e o professor.

Confusão

Como volta
o ônibus
Vila Ida?
Volta
como Vila Ida
ou volta como
Vila Volta?
Volta indo
ou vai e volta?
Vira e volta?
Não sei se pego
Vila Ida na ida,
ou Vila Ida na volta.

Donizete Galvão. **Folha de S.Paulo,** São Paulo, 28 jun. 2003. Folhinha. Disponível em: <wwwl.folha.uol.com.br/folhinha/dicas/di28060324.htm>. Acesso em: 28 set. 2017.

1. Por que você acha que o título do poema é **Confusão**?

2. Qual é o meio de transporte citado no poema?

3. Em sua opinião, qual é o melhor meio de transporte para circular em uma grande cidade? Por quê?

Circular pelos caminhos

Para trabalhar, passear, transportar mercadorias, entre outras atividades, são necessários diferentes meios de transporte. Veja as fotografias a seguir.

De bicicleta, em Santos, no estado de São Paulo, 2018.

De motocicleta, em Balneário Camboriú, no estado de Santa Catarina, 2018.

De metrô, em Fortaleza, no estado do Ceará, 2018.

De automóvel, ônibus ou caminhão, em Campo Grande, no estado de Mato Grosso do Sul, 2018.

1 Marque um **X** nos meios de transporte que existem na cidade onde você mora.

☐ Automóvel ☐ Metrô

☐ Ônibus ☐ Barco

☐ Bicicleta ☐ Motocicleta

Outros: _____

2 Quais meios de transporte na sua cidade permitem percorrer maiores distâncias mais rapidamente?

3 Quais meios de transporte acima não poluem o ar das cidades?

Circulação ao longo do tempo

Você viu que são muitas as maneiras de se locomover dentro das cidades ou de chegar até elas.

Como as pessoas se locomoviam no passado? E o trânsito, como era antes e como é hoje?

Observe as fotografias de meios de transporte abaixo.

Sugestão de... Livro

Máquinas do tempo, de Romont Willy. São Paulo: Callis, 2013.

Bonde puxado por burros no município de São Paulo, no estado de São Paulo, 1905.

Bonde elétrico no município de São Paulo, no estado de São Paulo, 1906.

Automóvel no município do Rio de Janeiro, no estado do Rio de Janeiro, 1912.

Ônibus no município do Rio de Janeiro, no estado do Rio de Janeiro, cerca de 1930.

1 Com a orientação do professor, reúna-se com três colegas para comparar os meios de transporte de antigamente com os meios de transporte de hoje. Discutam o que vocês descobriram e anotem uma semelhança e duas diferenças.

_____
_____
_____
_____
_____

2 Você acabou de ver na página ao lado fotos de alguns meios de transporte do passado. E hoje, como eles são? Procure fotos de meios de transporte modernos e traga para a sala de aula. Em duplas, montem em folhas avulsas as fotos que trouxeram, separando aquelas que poluem o ambiente e aquelas que não poluem. Organize o material com o professor.

Assim também aprendo

Veja o que fez Chico Bento.

1. O que mais chama a atenção na imagem ao lado? Por quê?

_____
_____
_____
_____

2. Na cidade onde você mora, existe o meio de transporte que o Chico Bento está usando?

_____

Mauricio de Sousa. **Chico Bento**. São Paulo: Globo, n. 272, 1997.

3 No Brasil são utilizados meios de transporte modernos para circular de um local para outro.

a) Observe as fotografias abaixo e responda o que pode circular:

- nas rodovias.
- nos rios e mares.

Caetité, no estado da Bahia, 2019.

Itacoatiara, no estado do Amazonas, 2016.

_____
_____

- nas ferrovias.
- no ar.

Aimorés, no estado de Minas Gerais, 2019.

Brasília, no Distrito Federal, 2017.

_____
_____

b) Qual desses meios de transporte é o mais comum onde você mora?

_____

c) Qual desses meios de transporte você já utilizou?

_____

Outros caminhos

A maioria das crianças brasileiras mora em cidades. Portanto, elas percorrem ruas para chegar à escola. Lembre-se, você já fez o percurso da sua casa até a escola.

Mas há crianças que moram na floresta ou no campo e, para chegar à escola, fazem caminhos bem diferentes dos caminhos das crianças da cidade.

1 Vamos ver o caso de algumas crianças indígenas na Amazônia. Leia o texto e observe o desenho.

Rio é igual caminho.
A gente sobe e desce o rio,
indo de cá para lá, de lá para cá.
No rio, nós andamos de canoa.
Na canoa, nós remamos duro.
Nós também viajamos de **zinga**.

Eunice Dias de Paula, Luís Gouvêa de Paula, Elisabeth Aracy Rondon Amarante. **História dos povos indígenas**: 500 anos de luta no Brasil – Mareãkawa. Petrópolis: Vozes; Cimi, 1982. p. 33.

• **zinga:** vara comprida usada como remo nas canoas.

a) Qual é o meio de transporte citado no texto que os indígenas usam?

_____

b) Por que algumas crianças indígenas precisam ir de canoa para a escola?

c) Sempre que os indígenas querem atravessar o rio eles usam uma canoa. Agora, imagine uma situação em que os indígenas procurassem outra forma de atravessar o rio. O que eles poderiam fazer?

2 Agora vamos conhecer o caminho que Felipe faz para ir à escola. Ele mora no campo, na casa que aparece na ilustração abaixo.

a) Anote três pontos de referência que Felipe vê no caminho de sua casa até a escola.

_____
_____

b) Das atividades feitas pelo ser humano que aparecem nesse desenho, qual delas você já viu? _____
_____

c) Anote dois profissionais que trabalham no campo, com base nas atividades da ilustração acima. _____

3 Compare os três caminhos casa-escola que você viu: o que você fez, o da criança indígena e o de Felipe, que mora no campo. Depois responda:

a) O que é semelhante?

b) O que é diferente?

c) De qual desses caminhos você gosta mais? Por quê?

d) Quais atividades feitas pelo ser humano você vê nesses três caminhos?

Produzindo mercadorias

Para a fabricação e a venda de mercadorias é necessário que existam meios de transporte e meios de comunicação. Eles facilitam a produção e a circulação de mercadorias. Os meios de comunicação são muito usados no dia a dia pe as pessoas.

1 Escreva na cruzadinha o nome do meio de comunicação ilustrado. Quais desses meios de comunicação você usa no dia a dia? Circule na cruzadinha.

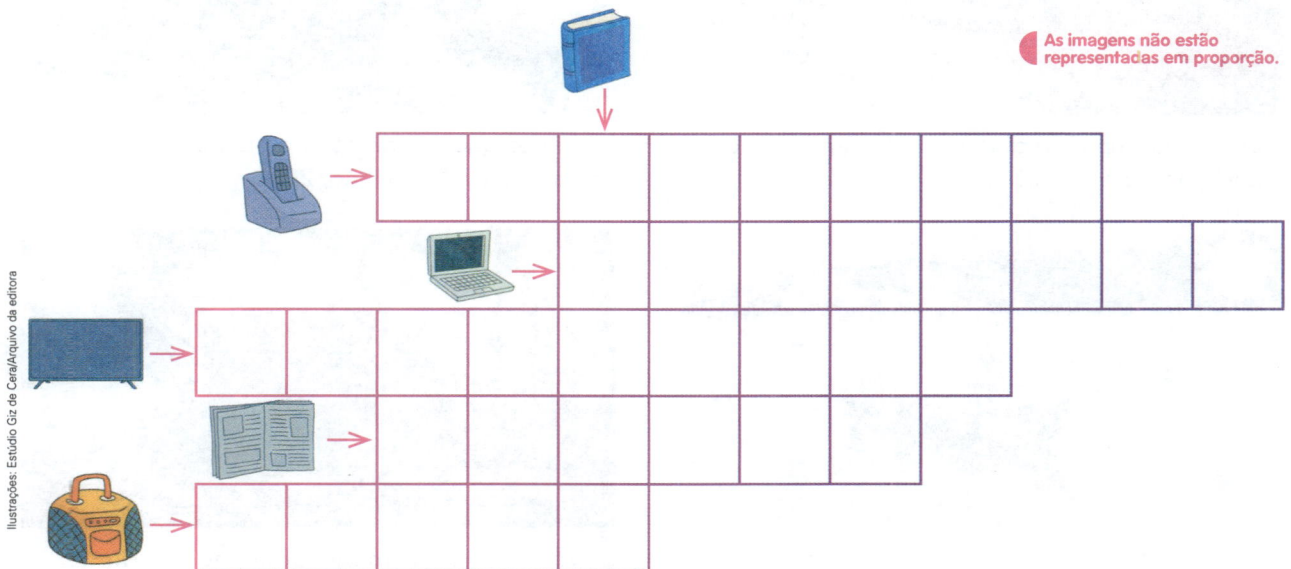

2 Devemos ter alguns cuidados ao usar os meios de comunicação. Não é saudável ficar muito tempo em frente à televisão ou usando o celular. Na sua casa, quais são os combinados que você e seus pais ou responsáveis têm sobre o uso desses equipamentos? Conte aos colegas.

Minha coleção de palavras em Geografia

Os meios de comunicação são essenciais para a vida no mundo atual.

MEIOS DE COMUNICAÇÃO

1. Como você explica a uma pessoa o que são meios de comunicação?
2. Quais outros meios de comunicação você pode usar? Já ouviu falar de outros? Quais?

3. Muitas mercadorias são produzidas a partir da atividade de extração de recursos da natureza. Podemos retirar da natureza recursos de origem vegetal, animal e mineral.

a) Observe as fotografias a seguir.

Homem garimpando diamante em Amajari, no estado de Roraima, 2019.

Mulheres quebrando coco de babaçu em Viana, no estado do Maranhão, 2019.

Pesca em Mucuri, no estado da Bahia, 2018.

Extração de açaí em Santarém, no estado do Pará, 2017.

Extração de sal em Chaval, no estado do Ceará, 2016.

b) Com o professor, escreva o número das fotos que correspondem aos tipos de recursos extraídos da natureza.

Animal   Vegetal   Mineral

_____   _____   _____

4 Os recursos extraídos da natureza são utilizados para a fabricação de inúmeros produtos.

a) Com a ajuda do professor, pesquise alguns produtos fabricados pela indústria a partir dos recursos extraídos da natureza indicados no quadro abaixo. Depois, complete o quadro. Se preferir, faça colagem ou desenhe.

Recursos retirados da natureza	Produtos fabricados pela indústria
Origem vegetal Madeira	
Origem mineral Cobre	
Origem animal Pesca	

b) Discuta com o professor e os colegas:
- O que pode ocorrer com a extração exagerada dos recursos naturais?
- Muitos produtos que consumimos no dia a dia têm origem na extração de recursos da natureza. O papel é um deles. Como podemos reduzir o consumo de papel para não prejudicar a natureza?

Impactos ambientais

A produção de mercadorias pode causar impactos no ambiente, principalmente quando ela é feita em grande quantidade. Atualmente, em muitos lugares do Brasil e do mundo, esses impactos têm sido bastante graves. Vamos conhecer alguns deles.

1 Observe atentamente as fotos e, com a ajuda do professor, anote ao lado de cada uma um importante impacto ambiental ocorrido no local.

a)

Mina Bom Futuro, de extração de cassiterita, em Ariquemes, no estado de Rondônia, 2017.

b)

Gado em área desmatada, na Floresta Amazônica, em Apuí, no estado do Amazonas, 2019.

c)

Barcaças de extração de ouro no rio Madeira, em Porto Velho, no estado de Rondônia, 2016.

d) Agora você vai pesquisar outro impacto ambiental. Procure uma foto ou ilustração em jornais, revistas, internet e complete a atividade. Cole a imagem no espaço abaixo e anote ao lado dela qual foi o impacto ocorrido.

2 Converse com mais dois colegas e apresentem para a classe qual dos impactos ambientais apresentados nas páginas 100 e 101 vocês consideram o mais grave. Apresentem uma justificativa para a escolha de vocês.

O que estudamos

Eu escrevo e aprendo

Nesta atividade você vai utilizar a **linguagem escrita** para retomar o que estudou na unidade. Escreva abaixo uma frase sobre o que você estudou em cada capítulo.

Capítulo 5 – **A vida cotidiana**

_____
_____
_____

Capítulo 6 – **O trabalho e a circulação**

_____
_____
_____

Minha coleção de palavras em Geografia

Em cada capítulo desta unidade há uma palavra destacada para a sua coleção de palavras em Geografia. São palavras comuns em textos de Geografia e vão ajudar você a compreender melhor todos eles. Reveja essas palavras ao lado.

INDÚSTRIA, página 83.

MEIOS DE COMUNICAÇÃO, página 97.

1. O que você aprendeu com essas duas palavras? Converse com os colegas e o professor.

2. No caderno, escreva essas duas palavras e faça um desenho ou uma colagem para cada uma delas. O significado do seu desenho (ou colagem) deve estar relacionado com o que você aprendeu no capítulo.

Eu desenho e aprendo

Nesta atividade você vai utilizar a **linguagem gráfica** para retomar o que estudou na unidade. Desenhe abaixo o que você mais gostou de estudar em cada capítulo. Se preferir, faça uma colagem.

Capítulo 5 – A vida cotidiana

Capítulo 6 – O trabalho e a circulação

Hora de organizar o que estudamos

Diferentes pontos de vista

- visão oblíqua

- visão vertical

O trabalho no bairro

 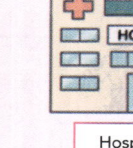   

Prefeitura — Hospital — Mercado — Escola — Biblioteca

Centro esportivo — Lojas na rua — Correio — Bombeiro

As imagens não estão representadas em proporção.

Os diferentes meios de comunicação

Os diferentes meios meios de transporte

Os impactos ambientais na produção de mercadorias

Gado em área desmatada, na Floresta Amazônica, em Apuí, no estado do Amazonas, 2019.

Mina Bom Futuro, de extração de cassiterita, em Ariquemes, no estado de Rondônia, 2017.

Para você refletir e conversar

- Você teve dificuldade para realizar alguma atividade?
- Você já pensou qual trabalho gostaria de realizar quando crescer? Conte aos colegas e ao professor.
- Você acha importante as cidades terem transportes públicos? Por quê?

Unidade 4

O ambiente em que vivemos

- Observe os animais da ilustração. Será que todos eles vivem no mesmo ambiente?
- Você gosta de conhecer lugares diferentes?
- Como podemos proteger o lugar onde vivemos?

Capítulo 7

Conhecer lugares

Você gostaria de viajar para a **Lua**? Por quê?

Para iniciar

Leia o poema abaixo com os colegas e o professor.

Um ônibus pra Lua

No domingo de manhã,
bem dali detrás da praça,
ia o ônibus pra Lua,
e a viagem era de graça.

Quem fosse bem corajoso
e quisesse aproveitar,
era só entrar na fila
e procurar um lugar.

Muita gente apareceu
tinha tanto candidato!
Tinha mãe que trouxe filho,
tinha até cachorro e gato.

[...]

Era lindo aquele ônibus,
todo azul e alaranjado.
Tinha um rabo de foguete
e um nariz bem prateado.

Parou juntinho do ponto,
soltando muita fumaça,
deixando muito espantado
o povo da praça.

[...]
O sucesso foi tão grande
que esta linha continua.
Pode ser até que o ônibus
passe aí na sua rua!

Eliana Sá. **Um ônibus pra Lua**. São Paulo: Sá Editora, 2009. p. 29-31.

1. Como seria essa viagem para a Lua?
2. O que você acha que encontraria lá?
3. Será que um ônibus pode ir para a Lua? Por quê?

Identificando lugares

Os lugares não se limitam à moradia, à escola e à rua onde moramos. Podemos conhecer outros lugares de diferentes maneiras. E precisamos cuidar deles.

Vamos pensar em lugares que você já conhece ou gostaria de conhecer? Observe as fotos a seguir.

Praia Grande, em Ubatuba, no estado de São Paulo, 2018.

Estádio Rei Pelé, em Maceió, no estado de Alagoas, 2017.

Biblioteca municipal em São Luís, no estado do Maranhão, 2019.

Praça Plácido de Castro, em Rio Branco, no estado do Acre, 2015.

1 Veja de novo as fotos acima e responda às questões.

   a) Você já esteve em lugares como esses?

   b) De quais lugares você gostou? De quais não gostou? Explique.

2 Pense em um lugar onde você gostaria de estar agora.

   a) Conte como é esse lugar e por que você gostaria de estar lá.

   b) Desenhe esse lugar em uma folha de papel. Cole seu desenho no caderno.

Diferentes lugares

Vamos conhecer outros lugares por meio de um poema e de fotos.

1 Que tal você identificar o que há em diferentes lugares lendo o poema abaixo?

Paraíso

Se esta rua fosse minha,
eu mandava ladrilhar,
não para automóvel matar gente,
mas para criança brincar.

_____

Se esta mata fosse minha,
eu não deixava derrubar.
Se cortarem todas as árvores,
onde é que os pássaros vão morar?

_____

Se este rio fosse meu,
eu não deixava poluir.
Joguem esgotos noutra parte,
que os peixes moram aqui.

_____

Se este mundo fosse meu,
eu fazia tantas mudanças
que ele seria um paraíso
de bichos, plantas e crianças.

_____

José Paulo Paes. **Poemas para brincar**. São Paulo: Ática, 2011. p. 9.

a) Escreva embaixo de cada estrofe o que você identificou.

b) Desenhe nos quadros ao lado das estrofes o que você identificou.

2 Agora você verá diferentes lugares do Brasil. Observe as fotos a seguir.

Praia de Pajuçara, em Maceió, no estado de Alagoas, 2017.

Moradias em Serro, no estado de Minas Gerais, 2018.

Área rural de Ivinhema, no estado de Mato Grosso do Sul, 2018.

Área do porto de Tefé, no estado do Amazonas, 2017.

a) Qual dessas paisagens se parece mais com o lugar onde você vive?

_____

b) Qual dos lugares apresentados você gostaria de conhecer? Por quê?

c) Dessas paisagens, qual é a mais poluída? Explique.

d) Escreva uma frase com a expressão: **poluição das águas**

_____

_____

3 Observe as fotos a seguir e conheça outros lugares.

Crianças indígenas brincando em São Félix do Xingu, no estado do Pará, 2016.

Família brincando com gelo em Urubici, no estado de Santa Catarina, 2014.

Crianças caminham em estrada de terra em Olho D'Água do Casado, no estado de Alagoas, 2016.

a) Com o professor, analise as fotos e cite diferenças entre elas.

b) Agora, escreva abaixo quais são essas diferenças.

_____

_____

Outros lugares

Muitos povos indígenas têm um modo de vida bem diferente do modo de vida dos não indígenas.

Sugestão de... Livro
Aldeias, palavras e mundos indígenas, de Valéria Macedo. São Paulo: Companhia das Letrinhas, 2015.

1 Leia o texto a seguir para conhecer um pouco do povo kayapó.

As atividades do homem kayapó

[...] A maior parte das atividades dos homens se faz do lado de fora da casa: a caça, a pesca, as caminhadas, a fabricação de objetos e ferramentas [...]. Como são sobretudo as mulheres que se destinam ao trabalho nas roças, à preparação dos alimentos e à educação das crianças, os homens [...] passam, aliás, boa parte de seus dias na floresta para caçar e pescar. [...]

Em geral, os homens caçam sós. No **alvorecer**, eles se embrenham pela mata [...].

Um homem não retorna jamais de mãos vazias. Mesmo quando ele não traz consigo caça, ele deve colher ou amontoar algumas plantas medicinais, fibras ou frutas silvestres para fabricar objetos utilitários ou decorativos. [...]

Pesca-se todo o ano, mas é sobretudo no início da estação seca, quando o nível da água é o mais baixo, que os peixes são capturados em grande quantidade.

alvorecer: amanhecer, início do dia.

POVOS Indígenas no Brasil. Atividades masculinas. Disponível em: <https://pib.socioambiental.org/pt/povo/mebengokre-kayapo/184>. Acesso em: 21 nov. 2019.

a) Onde vive o povo indígena kayapó?

_____

b) Além da caça, quais são as outras atividades do homem kayapó?

c) Desenhe em uma folha de papel como você imagina o lugar onde vivem os Kayapó.

Minha coleção de palavras em Geografia

Você leu no texto acima que o homem kayapó pesca mais peixes na estação seca.

ESTAÇÃO SECA

1. O que é estação seca?

2. Por que os Kayapó pescam mais peixes na estação seca?

2 Observe as fotos abaixo. Elas mostram algumas moradias indígenas que foram construídas com diferentes materiais da natureza.

▶ Habitação na aldeia kayapó, no estado do Pará, 2016.

▶ Habitação na aldeia dessana tukana, no estado do Amazonas, 2015.

▶ Habitação na aldeia kamayurá, no estado de Mato Grosso, 2014.

- A maioria das moradias acima é feita com materiais tirados diretamente da natureza. Mas há algumas diferenças entre elas. Descubra quais são! Relacione cada foto com as características descritas abaixo. Complete os quadros com o número das fotos.

  ☐ A habitação tem o teto com folhas de palmeira e as paredes feitas com madeira e barro.

  ☐ A habitação é coberta, do teto ao chão, com folhas de palmeira.

  ☐ A habitação apresenta teto com folhas de palmeira e a parede é feita com troncos finos de árvores.

3 Nem todos os indígenas brasileiros vivem na floresta ou em habitações como essas. Alguns vivem em grandes cidades, como São Paulo e Manaus.

- Converse com os colegas e o professor sobre a existência ou não de indígenas na cidade onde você mora.

Saiba mais

Leia a história em quadrinhos abaixo e compare o modo como as crianças foram tratadas quando estavam doentes.

Mauricio de Sousa. **Almanaque do Chico Bento**. São Paulo: Globo, n. 213.

- Indique no quadro semelhanças e diferenças entre as formas de tratamento.

Semelhanças	Diferenças

Outros lugares no mundo

Você conheceu alguns tipos de moradia no Brasil e no mundo. Conheceu também moradias de povos indígenas. Percebeu como elas são diferentes?

Um dos motivos que explica essas diferenças é que as construções são feitas de acordo com o lugar onde estão localizadas.

> **Sugestão de...**
> **Livro**
> **Contos da natureza**, de Danwn Casey. São Paulo: WMF Martins Fontes, 2010.

1 Veja mais alguns tipos de moradia existentes no mundo e onde estão localizadas.

Mapas de localização dos países

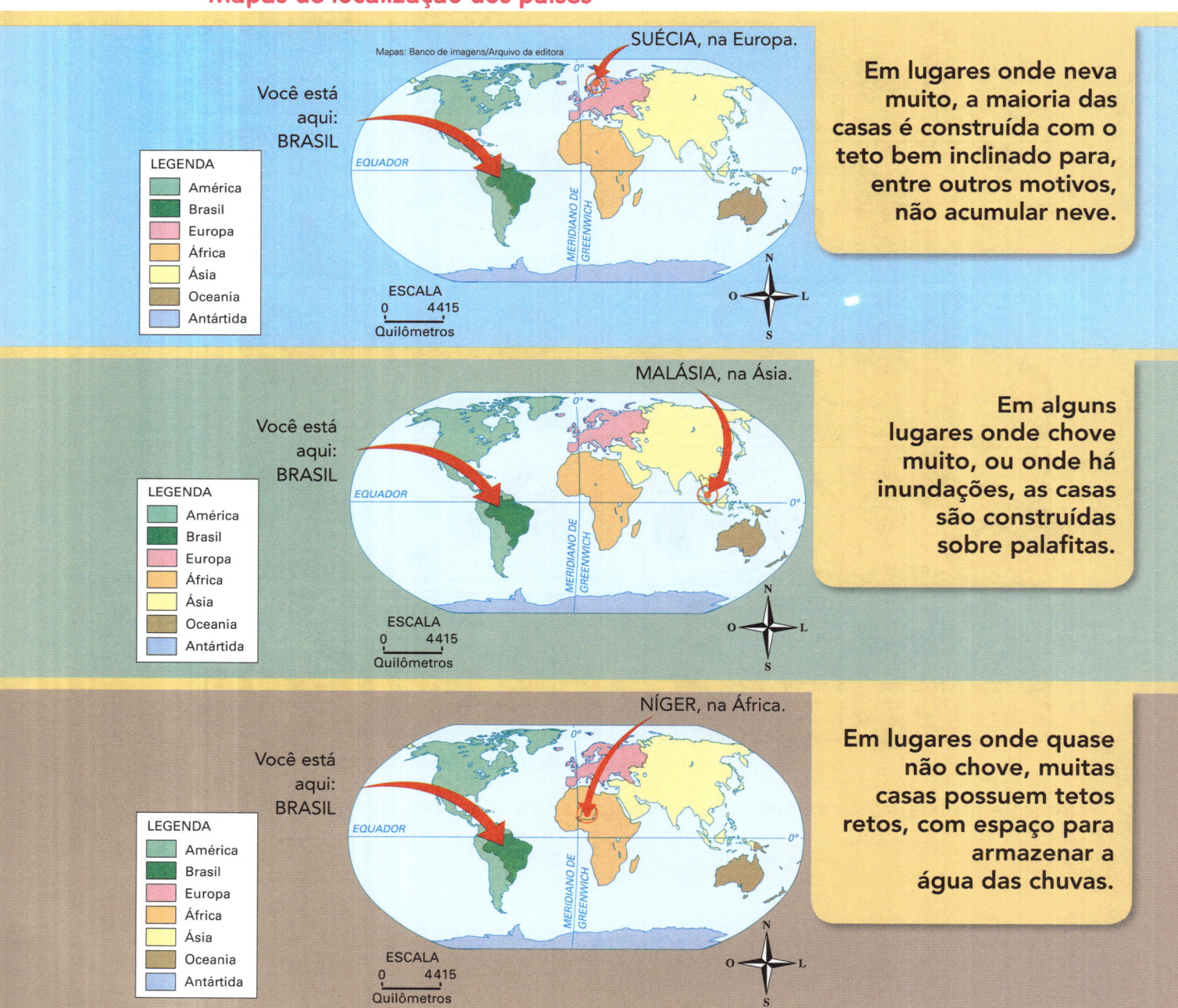

Elaborado com base em: IBGE. **Atlas geográfico escolar**. 8. ed. Rio de Janeiro: IBGE, 2018. p. 34.

a) Com os colegas e o professor, analise as informações apresentadas e os tipos de moradia e descubra qual lugar é:

- chuvoso
- frio
- seco

b) Agora, complete cada frase com uma das palavras destacadas acima.

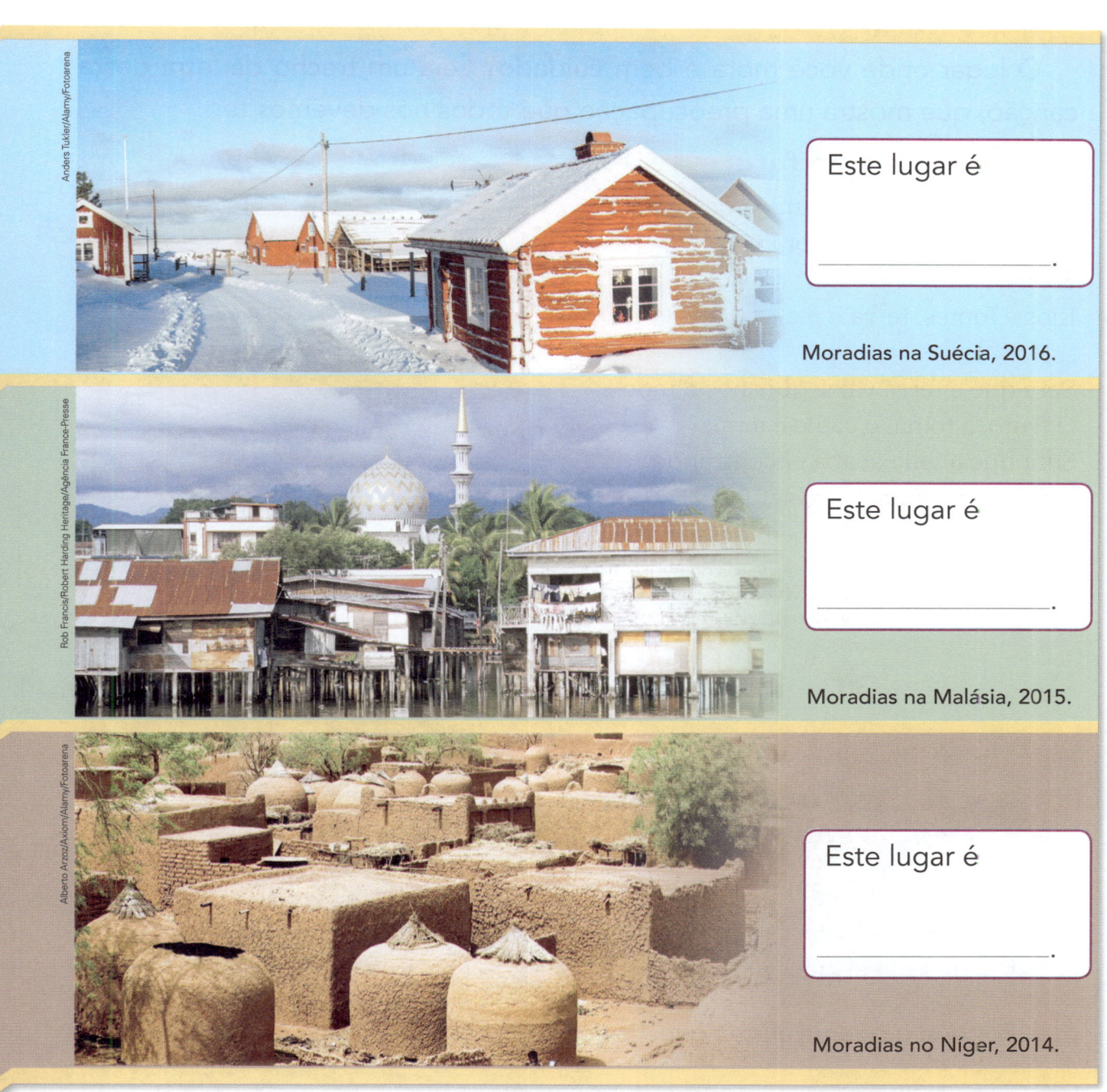

Este lugar é _____.

Moradias na Suécia, 2016.

Este lugar é _____.

Moradias na Malásia, 2015.

Este lugar é _____.

Moradias no Níger, 2014.

2 Em duplas, escolham um lugar representado nas fotos acima e conversem como deve ser viver nele.

Capítulo 8

Proteger nosso ambiente

Que atitudes podemos ter no dia a dia para ajudar a cuidar do ambiente?

Para iniciar

O lugar onde você mora é bem cuidado? Leia um trecho da letra desta canção, que mostra uma preocupação que todos nós devemos ter.

Herdeiros do futuro

A vida é uma grande amiga da gente
Nos dá tudo de graça pra viver
Sol e céu, luz e ar
Rios e fontes, terra e mar...
[...]
Será que a terra vai seguir nos dando
O fruto, a folha, o caule e a raiz?
Será que a vida acaba encontrando
Um jeito bom da gente ser feliz?
Vamos ter que cuidar bem desse país [...]

Toquinho e Elifas Andreato. Herdeiros do futuro. Intérprete: Toquinho. Em: **Ensinando a viver**. São Paulo: Grupo Positivo/Circuito Musical, 2002. 1 CD. Faixa 17.

1 Por que o poema afirma que "a vida é uma grande amiga da gente"?

2 De quais problemas de poluição que ocorrem no Brasil e no mundo você já ouviu falar?

Precisamos cuidar do ambiente

Sugestão de... Livro
Água, de Trevor Day. São Paulo: DCL, 2011.

O solo, a água, o ar, as plantas e os animais fazem parte do ambiente. O que podemos fazer para conservar o ambiente?

Proteger a água

Sem água não há vida. Portanto, é preciso evitar o desperdício e sua contaminação.

A água não serve apenas para beber. Ela também é utilizada para:

- abastecer as casas;
- fazer a higiene do corpo e preparar os alimentos;
- irrigar as plantações;
- gerar energia elétrica;
- transportar pessoas e mercadorias (produtos);
- o lazer: nadar, brincar e se refrescar;
- preservar a vida.

1 Em que situações as pessoas utilizam água em casa? Dê dois exemplos.

_____

_____

2 Será que toda água é própria para beber?

_____

3 Observe as fotos abaixo e leia as legendas.

Estação de tratamento de água no município de São Paulo, no estado de São Paulo, 2017.

Carros-pipa transportando água em Belém do São Francisco, no estado de Pernambuco, 2018.

- O que é água potável? Conte aos colegas e ao professor o que você sabe.

4 Observe as imagens e responda às perguntas.

Moradias à beira de córrego poluído, no município de São Paulo, no estado de São Paulo, 2019.

Córrego poluído em Juazeiro, no estado da Bahia, 2016.

a) Existe alguma lagoa ou rio poluído no lugar onde você mora? E em outro lugar do Brasil que você conhece? Qual?

b) O que polui esse rio ou essa lagoa?

5 Em duplas, conversem sobre duas formas de desperdício de água em atividades do dia a dia. Anotem abaixo, apresentando como elas poderiam ser evitadas.

- Atividade: _____

    Como evitar o desperdício: _____

- Atividade: _____

    Como evitar o desperdício: _____

Proteger o solo

No solo vivem plantas e animais. Nós também vivemos nele, por isso é preciso conservá-lo.

As plantas protegem o solo para que ele não seja destruído pelo vento e pela chuva.

1 Converse com o professor e os colegas e complete o desenho abaixo de modo que o solo fique protegido. Depois, acrescente outros elementos que fazem parte do ambiente (se necessário, reveja a página 119).

2 Escreva o nome dos elementos que você desenhou para proteger o solo.

_____

_____

Proteger o ar

O ar que respiramos é essencial à nossa vida, mas também tem sido poluído. A fumaça lançada por fábricas, escapamentos de automóveis e queimada das matas, entre outros, polui o ar e faz mal aos seres vivos.

Observe as fotos a seguir.

▶ Produção de carvão para indústria em Paragominas, no estado do Pará, 2014.

▶ Caminhão soltando fumaça em estrada de Pirapora do Bom Jesus, no estado de São Paulo, 2016.

▶ Queimada em Alto Paraíso de Goiás, no estado de Goiás, 2016.

1 Descreva o que você observa em cada foto.

2 No lugar onde você mora, o ar é poluído? Por quê?

3 Que medidas podem evitar a poluição do ar? Dê dois exemplos.

Proteger os animais

Como vimos, é importante conservar a água e o ar. E os animais? Será que eles também precisam ser protegidos? Leia o texto abaixo com os colegas e o professor.

Paca, tatu, cutia, sim!

Onça-pintada, anta e capivara. Jacaré, veado e arara. Ema, tamanduá e lobo-guará. Jabuti, macaco e papagaio. Paca, tatu, cutia também.

Puxa! São tantos os bichos das matas, campos e cerrados brasileiros, que nem dá para falar o nome de todos eles. [...]

Todos os bichos são muito importantes para o equilíbrio da natureza. [...] Temos que respeitar e proteger todos os animais [...]

Mauricio de Sousa. **Manual da roça do Chico Bento**. São Paulo: Globo, 2003. p. 100-101.

1 Circule no texto os animais que você conhece.

2 Os animais abaixo foram citados no texto. Com a ajuda do professor, identifique cada um deles.

As imagens não estão representadas em proporção.

Tecendo saberes

Muitos animais citados no texto da página anterior estão ameaçados de extinção. Dizemos que uma espécie está **ameaçada de extinção** quando existem poucos indivíduos dessa espécie no planeta.

1 Veja a seguir as fotos de alguns animais ameaçados de extinção no Brasil. O professor vai auxiliá-lo a identificar cada um deles.

As imagens não estão representadas em proporção.

As imagens não estão representadas em proporção.

- Você conhece esses animais que estão ameaçados de extinção? Com a ajuda do professor, anote o nome de cada um deles embaixo da foto correspondente.

2. Por que esses e outros animais correm perigo de extinção? Converse com o professor e os colegas sobre o assunto.

Depende de nós

> **Sugestão de... Livro**
> **A árvore do Beto**, de Ruth Rocha. São Paulo: Salamandra, 2010.

Como você viu, há animais que estão ameaçados de extinção. Além disso, muitos lagos, rios e mares estão poluídos e a qualidade do ar está prejudicada. A população no mundo vem aumentando. Com isso, cresce também a quantidade de lixo, de esgoto e de poluição.

São inúmeras as agressões que o planeta Terra vem sofrendo. E seu principal agressor é o ser humano. Como resolver esse problema, então?

Muitas pessoas estão preocupadas, não só no Brasil, mas em todo o mundo. Elas começaram a adotar medidas para proteger a água, o solo e o ar, protegendo assim, também, os animais e as plantas.

Há inúmeras maneiras de proteger o ambiente. Pode ser através de organizações ambientais ou de grupos de pessoas reunidas em função de um problema que afetou seu dia a dia, por exemplo.

1 Observe a foto abaixo.

Brumadinho, no estado de Minas Gerais, em 2019.

a) Observe o que as pessoas que aparecem na foto acima estão fazendo. Agora, reescreva a legenda da imagem acrescentando essa informação.

_____

_____

b) Você acha que apenas grandes organizações podem ajudar a proteger a natureza? Por quê?

2 Leia com atenção outro trecho da letra da canção "Herdeiros do futuro", vista na página 118.

Herdeiros do futuro

[...]
Somos os herdeiros do futuro
E pra esse futuro ser feliz
Vamos ter que cuidar
Bem desse país
Vamos ter que cuidar
Bem desse país...
Será que no futuro
Haverá flores?
Será que os peixes
Vão estar no mar?
Será que os arco-íris
Terão cores?
E os passarinhos
Vão poder voar?
[...]

Toquinho e Elifas Andreato. Herdeiros do futuro. Intérprete: Toquinho. Em: **Ensinando a viver**. São Paulo: Grupo Positivo/Circuito Musical, 2002. 1 CD. Faixa 17.

a) Responda às questões com os colegas e o professor.

- Por que precisamos cuidar bem deste país?
- O que podemos fazer para isso?

b) Vamos contribuir com a proteção da vida na Terra?

- Procure, em jornais, revistas ou na internet, imagens que mostrem atitudes de proteção à vida na Terra.
- Cole as imagens em uma folha de papel sulfite ou de cartolina. Se preferir, faça um desenho.
- Com os colegas e o professor, organize uma exposição dos trabalhos na escola.

3 E no dia a dia, o que podemos fazer para proteger o ambiente? Veja a preocupação do Menino Maluquinho e de sua amiga na tirinha abaixo.

Ziraldo. **O Menino Maluquinho**: as melhores tiras. São Paulo: L&PM, 1995. p. 23.

a) Qual é o tipo de poluição que assustou a amiga do Menino Maluquinho?

_____

b) O que você faria nessa situação?

4 Vamos ajudar a proteger a qualidade da água? Leia as dicas abaixo e depois discuta com os colegas e o professor como contribuir para conservá-la.

Dicas para não poluir as águas:
- ✓ Não jogue lixo no rio, na praia ou na rua.
- ✓ Diga aos adultos para usarem produtos de limpeza biodegradáveis, que não contaminam a água.

5 Agora, pense, com um colega, em dicas para evitar a poluição do ar e do solo e a extinção dos animais. Escrevam em uma folha avulsa e entreguem ao professor. Depois, juntem as dicas de todas as duplas da classe e elaborem uma lista na lousa.

Minha coleção de palavras em Geografia

Vamos conversar sobre uma palavra que tem tudo a ver com a conservação da natureza!

BIODEGRADÁVEL

1. Com o professor, procure no dicionário o significado dessa palavra.
2. Você conhece algum produto biodegradável? Qual?

Assim também aprendo

Você sabe proteger a natureza?

1. Convide um colega para participar de um jogo. No fim do jogo, você poderá responder à pergunta acima.

2. Siga as instruções do professor.

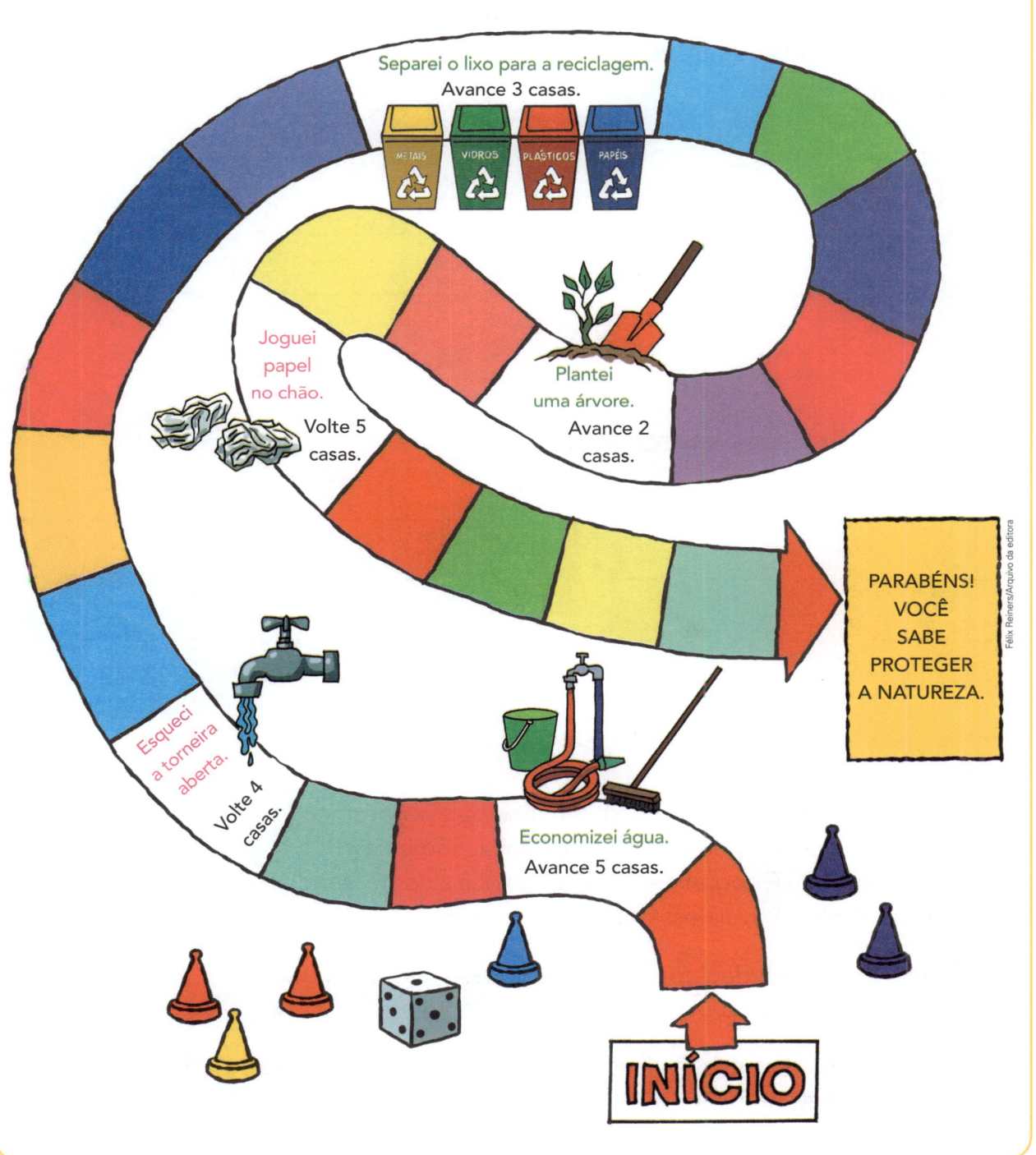

O que estudamos

Eu escrevo e aprendo

Nesta atividade você vai utilizar a **linguagem escrita** para retomar o que estudou na unidade. Escreva abaixo uma frase sobre o que você estudou em cada capítulo.

Capítulo 7 – Conhecer lugares

_____
_____
_____

Capítulo 8 – Proteger nosso ambiente

_____
_____
_____

Minha coleção de palavras em Geografia

Em cada capítulo desta unidade há uma palavra destacada para a sua coleção de palavras em Geografia. São palavras comuns em textos de Geografia e vão ajudar você a compreender melhor todos eles. Reveja essas palavras ao lado.

ESTAÇÃO SECA, página 113.

BIODEGRADÁVEL, página 128.

1. O que você aprendeu com essas duas palavras? Converse com os colegas e o professor.

2. No caderno, escreva essas duas palavras e faça um desenho ou uma colagem para cada uma delas. O significado do seu desenho (ou colagem) deve estar relacionado com o que você aprendeu no capítulo.

Eu desenho e aprendo

Nesta atividade você vai utilizar a **linguagem gráfica** para retomar o que estudou na unidade. Desenhe abaixo o que você mais gostou de estudar em cada capítulo. Se preferir, faça uma colagem.

Capítulo 7 – Conhecer lugares

Capítulo 8 – Proteger nosso ambiente

Hora de organizar o que estudamos

Lugares que conhecemos ou que gostaríamos de conhecer

Praia de Pajuçara, em Maceió, no estado de Alagoas, 2017.

Moradias em Serro, no estado de Minas Gerais, 2018.

Diferentes moradias indígenas

Habitação na aldeia kayapó, no estado do Pará, 2016.

Habitação na aldeia dessana tukana, no estado do Amazonas, 2015.

Habitação na aldeia kamayurá, no estado de Mato Grosso, 2014.

Diferentes moradias em outros lugares no mundo

Moradias na Suécia, 2016.

Moradias na Malásia, 2015.

Moradias no Níger, 2014.

Importância da conservação

- Da água
- Do solo
- Do ar
- Dos animais

Estação de tratamento de água no município de São Paulo, no estado de São Paulo, 2017.

Tamanduá-bandeira, iurumi.

Maneiras de proteger nosso ambiente

Brumadinho, no estado de Minas Gerais, em 2019.

Para você refletir e conversar

- Você teve dificuldade para realizar alguma atividade?
- Que lugar você gostaria de conhecer no Brasil? E no mundo? Conte aos colegas e ao professor.
- O que você faz no dia a dia para proteger o ambiente?

Glossário

As palavras deste glossário estão definidas de acordo com o sentido em que foram utilizadas no livro.

Aldeia página 35

Povoado rural. Povoação muito pequena.

Amazônia página 95

Vasta região no norte do Brasil, coberta, em grande parte, por floresta e com muitos rios. O maior deles é o rio Amazonas. Em muitos lugares, a Floresta Amazônica está sendo destruída.

Bosque página 56

Local onde existem muitas árvores. Pode ser natural ou plantado e é menor que uma floresta.

Floresta página 95

Tipo de vegetação composta de grandes árvores próximas umas das outras.

Floresta em Manaus, no estado do Amazonas. Foto de 2017.

Lua página 108

Astro do Sistema Solar, satélite natural do planeta Terra.

Lua.

Palmeira página 114

Nome comum a todas as plantas tipo palmácea. Pode ser usada como ornamento e para cobertura de moradias. Algumas espécies têm grande importância econômica, pelo aproveitamento de seus frutos, folhas e raízes.

Palmeira buriti.

Poluição (página 118)

Contaminação do ambiente. Pode ocorrer, por exemplo, a poluição da água, do ar e do solo. Ela prejudica a saúde de pessoas, animais e plantas.

Trecho poluído do rio Capibaribe em Recife, no estado de Pernambuco. Foto de 2016.

Terra (página 126)

Planeta em que vivemos. É um dos planetas do Sistema Solar, que giram ao redor do Sol.

A Terra e os outros planetas do Sistema Solar.

Visão oblíqua (página 80)

Visão que temos de um objeto ou de um lugar quando o olhamos de cima e um pouco de lado. Por exemplo: olhando um copo de cima e um pouco de lado, vemos sua altura.

Visão vertical (página 81)

Visão que temos de um objeto ou de um lugar quando o olhamos do alto, exatamente de cima para baixo. Por exemplo: olhando um copo exatamente de cima para baixo, vemos a forma redonda.

135

Bibliografia

Desta bibliografia não constam as referências de alguns livros dos quais foram transcritos trechos ao longo dos capítulos. Citamos as referências nos próprios textos, por se tratar de leituras complementares.

ALMEIDA, Rosângela Doin de. **Do desenho ao mapa**: iniciação cartográfica na escola. São Paulo: Contexto, 2016.

BRANDÃO, Heliana; FROESELER, Maria das Graças V. G. **O livro dos jogos e das brincadeiras para todas as idades**. Belo Horizonte: Leitura, 1998.

BRASIL. Ministério da Educação. Secretaria de Educação Básica. **Base Nacional Comum Curricular**. Brasília, 2018. Disponível em: <http://basenacionalcomum.mec.gov.br/>. Acesso em: 25 set. 2019.

_____ . Ministério da Educação. Secretaria de Ensino Fundamental. **Diretrizes Curriculares Nacionais Educação Básica**. Brasília, 2013.

_____ . Ministério da Educação. Secretaria de Ensino Fundamental. **Ensino Fundamental de nove anos**. Brasília, 2006.

_____ . Ministério da Educação. Secretaria de Ensino Fundamental. **Parâmetros Curriculares Nacionais**: Geografia/ História e Temas Transversais. Brasília, 1997.

CALLAI, Helena Copetti. Aprendendo a ler o mundo: a Geografia nos anos iniciais do Ensino Fundamental. **Cadernos Cedes**. Educação geográfica e as teorias de aprendizagem, n. 66. Campinas, 2005. Número especial.

CARUSO, Francisco; SILVEIRA, Cristina. **Questões ambientais em tirinhas**. São Paulo: Ed. Livraria da Física, 2007.

CARVALHO, Maria Angélica Freire; MENDONÇA, Rosa Helena (Org.). **Práticas de leitura e escrita**. Brasília: Ministério da Educação, 2006.

CASTELLAR, Sonia M. V. (Org.). **Educação geográfica**: teorias e práticas docentes. São Paulo: Contexto, 2010.

_____ ; CAVALCANTI, Lana de S.; CALLAI, Helena C. (Org.). **Didática da Geografia**: aportes teóricos e metodológicos. São Paulo: Xamã, 2012.

CASTROGIOVANNI, Antonio Carlos (Org.). **Ensino de Geografia**: práticas e textualizações no cotidiano. Porto Alegre: Mediação, 2009.

CAVALCANTI, Lana de S. (Org.). **Formação de professores**: concepções e práticas em Geografia. Goiânia: Vieira, 2006.

_____ . **Geografia, escola e construção de conhecimentos**. Campinas: Papirus, 2016.

COLL, César et al. **O construtivismo na sala de aula**. São Paulo: Ática, 2010.

_____ ; TEBEROSKY, Ana. **Aprendendo arte**: conteúdos essenciais para o Ensino Fundamental. São Paulo: Ática, 2009.

GUIMARÃES, Márcia; FALLEIROS, Ialê. **Os diferentes tempos e espaços do homem**. São Paulo: Cortez, 2005.

HOFFMANN, Jussara. **Avaliação: mito & desafio** – uma perspectiva construtivista. Porto Alegre: Mediação, 2010.

KAERCHER, Nestor A. **Desafios e utopias do ensino de Geografia**. Santa Cruz do Sul: Edunisc, 2010.

KOZEL, Salete. Mapas mentais – uma forma de linguagem: perspectivas metodológicas. In: **Da percepção e cognição à representação**. São Paulo: Terceira Margem; Porto Velho: Edufro, 2007.

PERRENOUD, Philippe. **10 novas competências para ensinar**. Porto Alegre: Artmed, 2000.

POLATO, Amanda. Um bate-papo sem fim. **Nova Escola**, São Paulo, abr./maio 2007.

PONTUSCHKA, Nídia Nacib et al. (Org.). **Para ensinar e aprender Geografia**. São Paulo: Cortez, 2012.

POZO, Juan Ignacio (Org.). **A solução de problemas**: aprender a resolver, resolver para aprender. Porto Alegre: Artmed, 1998.

RAMA, Ângela; VERGUEIRO, Waldomiro (Org.). **Como usar as histórias em quadrinhos na sala de aula**. São Paulo: Contexto, 2016.

SCHÄFFER, Neiva. Ler a paisagem, o mapa, o livro… Escrever nas linguagens da Geografia. In: NEVES, Iara C. B. et al. **Ler e escrever**: compromisso de todas as áreas. Porto Alegre: Ed. da UFRGS, 2006.

SIMIELLI, Maria Elena. O mapa como meio de comunicação e a alfabetização cartográfica. In: ALMEIDA, Rosângela Doin de (Org.). **Cartografia escolar**. São Paulo: Contexto, 2014.

_____ . **Primeiros mapas**: como entender e construir. São Paulo: Ática, 2010. 4 v.

SOARES, Magda. **Letramento**: um tema em três gêneros. Belo Horizonte: Autêntica, 2004.

_____ . **Letramento e alfabetização**: as muitas facetas. 26ª Reunião Anual da ANPED. Poços de Caldas, 2003.

SPOSITO, Maria Encarnação Beltrão (Org.). **Livros didáticos de História e Geografia**: avaliação e pesquisa. São Paulo: Ed. da Unesp, 2006. (Coleção Cultura Acadêmica).

STRAFORINI, Rafael. **Ensinar Geografia**: o desafio da totalidade – mundo nas séries iniciais. São Paulo: Annablume, 2008.

TUAN, Yi-Fu. **Espaço e lugar**. São Paulo: Difel, 1997.

VOGEL, Arno et al. **Como as crianças veem a cidade**. Rio de Janeiro: Pallas/Flacso/Unicef, 1995.

ZENAIDE, Maria de Nazaré Tavares (Org.). **Ética e cidadania nas escolas**. João Pessoa: Ed. Universitária/UFPB, 2003.

Sites

Agenda Criança Unicef: <www.selounicef.org.br>

Biblioteca Virtual de Educação: <http://bve.cibe.inep.gov.br/>

Revista Ciência Hoje: <http://chc.org.br/revista-aberta/>

Acesso em: 4 out. 2019.